湖岸
Hu'an

Müssen Tiere Zähne putzen?
...und andere Fragen an einen Zoodirektor

在动物园散步才是正经事
02

Henning Wiesner
Walli Müller
Günter Mattei

如何驯服一头龙？

[德] 亨宁·维斯纳 / 著 　　[德] 瓦利·穆勒 / 执笔

[德] 君特·玛泰 / 绘 　　王萍 万迎朗 / 译

中信出版集团 · 北京

图书在版编目（CIP）数据

如何驯服一头龙？ /（德）亨宁·维斯纳著；（德）
君特·玛泰绘；王萍，万迎朗译 . -- 北京：中信出
版社，2019.1
（在动物园散步才是正经事）
ISBN 978-7-5086-9773-4

Ⅰ . ①如… Ⅱ . ①亨… ②君… ③王… ④万… Ⅲ .
①动物—儿童读物 Ⅳ . ① Q95-49

中国版本图书馆 CIP 数据核字（2018）第 270441 号

Title: MÜSSEN TIERE ZÄHNE PUTZEN?
Author: Henning Wiesner
Written by Walli Müller
Illustrator: Günter Mattei
Copyright © Carl Hanser Verlag München Wien, 2005
Chinese language edition arranged through
HERCULES Business & Culture GmbH, Germany
简体中文著作权 © 2019 清妍景和 × 湖岸
ALL RIGHTS RESERVED
本书仅限中国大陆地区发行销售

如何驯服一头龙？
（在动物园散步才是正经事 02）

著　者：[德] 亨宁·维斯纳
执　笔：[德] 瓦利·穆勒
绘　者：[德] 君特·玛泰
译　者：王萍　万迎朗
出版发行：中信出版集团股份有限公司
　　　　　（北京市朝阳区惠新东街甲 4 号富盛大厦 2 座　邮编　100029）
承　印　者：北京尚唐印刷包装有限公司

开　本：787mm×1092mm　1/16　　印　张：7.5　　字　数：73 千字
版　次：2019 年 1 月第 1 版　　　　印　次：2019 年 1 月第 1 次印刷
京权图字：01-2018-8254　　　　　　广告经营许可证：京朝工商广字第 8087 号
书　号：ISBN 978-7-5086-9773-4
定　价：78.00 元

出品　中信儿童书店
图书策划　中信出版·优势教养 | 湖岸
策划编辑　张芳　　　　　　　　　　特约编辑　王迎　张瑾
出品人　唐奂　　　　　　　　　　　营销编辑　张怡琳
产品策划　景雁　　　　　　　　　　封面设计　裴雷思
责任编辑　卜凡雅　　　　　　　　　美术编辑　崔玥　韩雨顼

目 录

前言

作为动物园园长，我早已习惯被一些动物爱好者刨根问底。而他们提出问题的时间和问题一样奇怪有趣。比如刚过早上7点，就有人打电话用天使般的声音问我：萤火虫会私奔吗？它们当然不能了，至少我们德国的大萤火虫就很忠诚，因为没有翅膀的母萤火虫反正也飞不走。不，这其实不是她想问的，她提出的更多是一个"电学" ❤ 上的问题。

为了在早上喝第一杯茶之前向大家解答这些事实上并不简单的问题，我尽我的微薄之力，开办了《巴伐利亚三台动物系列》这个广播节目。在一年时间里，节目每天清晨在刷牙和喝咖啡的间隙播出，短小精悍，妙趣横生。节目所引起的反响大大超出了我们的预期，而瓦利·穆勒——巴伐利亚电台的自由撰稿人，他也凭借动听的童音而家喻户晓。我的朋友君特·玛

泰又为电波的内容配上了一系列精美绝伦的插图。这些图片用不着痕迹的幽默再次强化了主题，让我们在刷牙之后能面带笑容地迎接美好的一天。

作为编者，我们希望所有读者都能从此书中领略到无穷乐趣，这是我们编写此书的源泉和动力。

亨宁·维斯纳

❤ 在德语中"私奔"和"短路"是同一个单词。——译者注（本书注释除特别标明的以外均为译者注）

海豹会咆哮吗？

布雷姆（1829—1884）在《动物百科全书》中写道，海豹的脑袋和猫长得很像，可它为什么不被称为"海猫"而被叫作"海豹"呢？这也太奇怪了！它根本不会像豹子一样咆哮，最多只能嗷嗷低吼。而且不只海豹，所有鳍足类动物，例如海狮和海狗，都只能偶尔发出低沉的吼声。所以"海豹"真的应该叫作"海猫"才对。

和港海豹（海豹科）不同，海狮和海狗属于海狮科，又常被称为"有耳海豹"。这可谓名副其实，因为它们脑袋上确实顶着两只小耳朵。但它们的听觉并不因此而更加敏锐，即便它们显得比海豹更听话一些。这种印象来自海狮们在马戏团中的出色表现，而海豹只能笨拙地用前肢撑地匍匐前进，无法胜任较高难度的杂技演出。因此，在马戏团挑大梁的反而总是那些块头更大却更灵巧的海狮。

我们虽然听不到海豹怒吼或咆哮，可也常常听到它们哭得可怜兮兮的。它们的伤心并非毫无来由，比如海豹妈妈生了一对双胞胎，这可是不多见的喜事儿，但铁石心肠的海豹妈妈往往只挑更强壮的一只带下水，将另一只幼崽孤零零地扔在岸上。可怜的小家伙只能对着家人渐行渐远的背影撕心裂肺地哀嚎，"好哭佬"的名声由此而来。

虽然我们觉得这样不近人情，但从动物的角度来看，这一切无可厚非。海豹妈妈知道自己的奶水无法同时养活两个孩子，与其双双夭折不如至少保住一个。大自然只给强者生存的机会。如果没有人类好心地将"好哭佬"们捡回来，并集中送到"海豹孤儿院"喂养，它们就会饿死。等到小海豹们基本能自食其力，便会再度回到大自然的怀抱。这样做虽然不符合自然规律，但在动物世界里加些人道主义并无大碍。再说，去"海豹孤儿院"里看看这些小幼崽们可着实是件乐事，养育和善待这些小动物至少也大有教育意义。

几头小海豹的存活对于北海（大西洋东北部边缘海，位于大不列颠岛、斯堪的纳维亚半岛和欧洲大陆之间）沿岸海豹的现存总量来说可谓微不足道。那里几年前曾发生了一起海豹集体死亡的恶性事件，一种类似于犬瘟热的病毒感染使海豹数量急剧下降。这次大规模瘟疫的原因尚不清楚。好在时至今日，海豹的现存量已经重新恢复并超过了瘟疫暴发前的数目。

动物开展体育运动吗？

动物是天生运动狂，养狗的朋友们肯定深有体会。小狗每天一大早就躁动不安，百般纠缠，非要主人强打起精神，带着它们出门溜达。人们对晨跑和散步可没动物们那么热衷，尽管这些运动是有益的。

动物的本能使它们喜欢在运动中一较高下，这正好为我们所用。比如选用常年生活在竞争环境中的猎犬来拉雪橇，这些品种优良、身强体健的猎犬被套上雪橇后总是争先恐后地奔跑。同样的竞争天性也刺激着赛犬和赛马们你追我赶。它们像职业运动员一样起居饮食、接受训练，大赛在即也同样踌躇满志、兴奋异常；赛后的情绪也是比赛结果的"晴雨表"，或欢欣鼓舞，或失意惆怅。

逃命，是动物世界里最"流行"的大众运动。饥饿的狮子一露面，羚羊就得一路狂奔以求死里逃生，它们也因此荣获"天才短跑选手"的称号。大部分动物都在战战兢兢地过日子：随时提防肉食动物们的尖牙利爪，只有时刻保持最佳竞技状态才能幸存。老弱病残者总是最先被猎获，这就是动物王国的法则，它反复印证着达尔文"适者生存"的理论。

动物园的"居民"们没有任何天敌，它们必须靠形形色色的体育课来强身健体。例如慕尼黑动物园的蒙古野马，每天早晨和下午都会有人将塑料布弄得沙沙作响，吓得它们四下乱窜。而跑着跑着，它们也渐渐乐在其中，就像游戏"野狗飞鸡"也受到野狗们钟爱一样。鸡腿用长长的绳子连上马达，能在三秒钟之内"飞驰"起来——由零加速到每小时80公里。野狗们顿时情绪激昂，一番狂奔猛跑后才能享用美味。这项运动既能锻炼野狗，又可娱乐观众。

仓鼠一成不变的"转轮运动"远没上面的项目精彩。我们不禁要问：这家伙到底哪根筋不对，难道它想省下一笔健身费？也许它想参加马拉松？或者只是因为它喜欢转轮而已？这些答案都不正确：其实仓鼠根本就不该住在这里。小笼子对于生性活泼好动的仓鼠来说空间实在有限，也就是说，转轮不过是个代用品，避免它们因整天无所事事而骨头生锈、四肢僵硬，其实它们并不喜欢这项运动。

此外，动物们还有其他非常普及的运动方式，比如摔跤和拳击。当我们看到两头野山羊突然用角相互顶撞起来时，很容易联想起泰森和霍利菲尔德的世纪之战。不过，至今还没有人见过耳朵被咬缺的野山羊呢。

麝牛使用哪种香水？

纯正、浓烈、微苦的麝香味散发出十足的雄性气息。它既可以将某些动物赶走，又对其他一些动物有着奇妙的吸引力——当然主要是对雌性麝牛而言。发情期的香气自然是冲着异性而来。和我们人类不同，雄性麝牛无疑省了一大笔买香水的钱，因为它自己就有一家香水作坊——两角之间的腺体。

麝香产生于动物身上的腺体，是一种含大量油脂的深褐色胶状的分泌物。它的特点是能与不同的香料很好地调和在一起。与特定分子结合后，闻上去就是我们所说的麝香味了。精明的香水制造者马上就嗅到了这种天然香料背后的无限商机。更妙的是，当人们把麝香分子从分泌物中提取出来后，剩余的胶质部分仍然可以用作吸收其他香料的基质。唯有它才能将香水的特色发挥得淋漓尽致。因为它能像海绵一样吸收茉莉、丁香或紫罗兰的香味，比起那些廉价香水来说，选用麝香凝胶作为稳定剂的高档香水留香会更加持久。

这就解释了名牌香水通常要价不菲的原因：直到近年，麝香才能人工合成，过去很长时间只能从动物身上提取。它并非来自麝牛，而是来自一种长得像小鹿的动物：麝。在亚洲，人们为采集麝香而人工养麝，并从它们肚脐下的香囊中采集麝香分泌物。麝香一年只能刮取一次，人们同时还要小心翼翼，避免麝受到伤害。一年下来，平均从每头麝身上只能得到极少的7~8克麝香。所以，麝香的价格比黄金还要贵就不难理解了。

世界上有散发迷人气息的麝牛和麝，当然还有一受到惊吓就肆无忌惮地污染空气的北美臭鼬们。美国人常为此叫苦不迭，要是谁的车不走运碾过一只臭鼬，那他就只有换车了。出于自卫，臭鼬会从肛门腺喷射出恶臭的硫醇类气体。

这玩意儿臭气熏天，如果人们曾闻到过野外臭鼬类的动物或迪斯科舞厅里过重的狐臭，就能想象出这种味道了。和它相比，连粪坑的气味都算香的。于是，这种动物便能穿着黑白相间的夹克，像嬉皮士一样大摇大摆地在野地里闲逛。它们几乎没有天敌，因为谁喜欢找一枚臭气炸弹当作午餐呢？

母鸡会咯咯笑吗？

当我们听到马儿嘶叫和鸡发出咯咯嗒的叫声时，总觉得和人类的笑声相差无几，于是就认为它们正开怀大笑。反过来，某些人的笑声听起来也确实像马叫。

实际上，无论喜悦兴奋还是愤怒不满，马儿都会嘶叫。而母鸡只在春风得意时才咯咯嗒嗒，比如它刚刚费了老大的劲又完成了一个下蛋指标。赤狐在1月份会嗾嗾"发笑"，这其实是它们发情期的求偶信号。海豚则发出极高频率的哨声，从而能和远在上百海里以外的伙伴们相互交流。又如当听到澳洲笑翠鸟发出二重唱般的叫声时，人们还以为那里有观众在看滑稽剧呢，而实际上是它们正用叫声来划分领地。

黑猩猩是唯一能在脸上绽放出笑容的动物，因为它们和人类一样拥有笑肌。黑猩猩有时甚至笑得捧起肚子，满地打滚。它们的笑声绝对源于真正的快乐。

狗虽然没有笑肌，却也有独特技巧，能在脸上像变魔术一样做出讨人喜爱的表情：当它们想要从主人那里得到巧克力的时候，便咧开嘴，露出牙齿，摆出一副乖巧的模样。只要它们一直这么可爱地"笑"着，巧克力总是能顺利地到它们嘴里。

动物们也许不能像我们一样，会被一个笑话逗得哈哈大笑，可事实上它们并不缺乏幽默感。比如慕尼黑动物园的幼象贾金德拉有一次不小心弄伤了长牙。牙医用强力胶将裂开的长牙黏合并用一个钢圈固定住，本以为这个装置会伴它度过一生。可手术过后没多久的一个早上，小象贾金德拉跟往常一样跑到饲养员身边，做出打招呼的样子，却偷偷地把什么东西塞到他手上：竟然是那个钢牙圈。如果它真的会笑的话，那它脸上将带着什么样的"大象式笑容"呢？

动物有可能会很狡猾，但却从不会像人类一样拿别人开心。杜鹃将蛋偷偷产在别的鸟巢中，借毫不知情的其他鸟类为自己孵蛋哺雏。而它这么做完全源自种族繁衍的生物本能，绝没有从中取乐的意思。动物们也会自私自利，利用别的动物，但唯有人类才会幸灾乐祸。即便是最愚蠢的母鸡们也不会互相嘲弄。

山羊爱发牢骚吗?

山羊一天到晚"咩咩"叫个不停,它们到底在发什么牢骚?这其实是误会,山羊不过是像那些喋喋不休的人一样喜欢拉家常。家鹅也有此癖好。有人问诺贝尔生理学或医学奖获得者康拉德·洛伦茨先生,那些家鹅到底在聊些什么。他回答说,它们纯粹是在瞎胡扯,至于具体内容当然谁也不知道。但至少有一点可以肯定,东扯西拉让家鹅们快乐无比。再说,它们不正是用这种方式在高卢人的偷袭中救了罗马吗? ●

和人类一样,动物中也分"话篓子"和"闷葫芦"。比如鱼类就只能老老实实做哑巴,但鲂鱼、小黄鱼等是例外。它们能在求偶、交配或保卫地盘时借助鱼鳔收缩发出叽叽咕咕的声音。而其他不能发声的鱼儿则是通过特殊信号与同类交换信息。用我们的话说,它们用的是肢体语言,这也是动物们彼此沟通的方式之一。

鸟类常常用绚丽的羽毛来吸引异性,比如开屏的公孔雀。所有的哺乳动物都有自己特定的肢体语言,只要你仔细观察两条在街上偶遇的小狗,就会发现它们肢体语言丰富得都可以编辑成书了。

动物们还可以利用各种各样的声音来联络。虽然它们没有足够多的词汇量,无法像人类一样津津乐道于家长里短。但是,它们总有办法在关键时刻取得联系,因为它们靠声音传情达意的方式丰富多彩。比如蛋壳里的小雏鸡们就已经懂得通过啾啾声称兄道弟,一起商量破壳而出的最佳时机。通过这一招,小鸡们能够得到更高存活率,并能一块儿长大。

企鹅的爸爸妈妈总是能在庞大的企鹅群里找到自己的小宝贝,只要小家伙一直通过叽叽叫声和它们保持联络。大家都听说过鲸鱼的歌声,那可不是什么海洋喜歌剧,而是远隔上百海里的鲸鱼们在"窃窃私语"。

动物间还有第三种交流方式,即费洛蒙,这是一种动物为了吸引异性而散发出来的物质 ●。蛾子的嗅觉非常灵敏,它们可以闻到五公里之外是否有自己的"心上人",如果有,就会马上循着气味飞过去。

● "白鹅拯救了罗马"是罗马人的谚语。公元前390年,高卢人准备在深夜偷袭罗马时,惊醒了神庙里的白鹅,它们的叫声拯救了罗马。

● "费洛蒙"是信息素(pheromone)的音译,也称外激素,指的是由一个个体分泌到体外被同物种的其他个体通过嗅觉器官察觉并使后者表现出某种行为、情绪、心理或生理机制改变的物质。——编者注

灰老鼠灰溜溜吗？

说句老实话，灰老鼠看起来实在毫不起眼。它们成群结队，成天穿着灰秃秃的统一制服，一点儿也不赶时髦。其实，这正是它精明的地方。如果一只耗子穿上小花裙四处招摇，肯定不出一会儿工夫就成了老鹰盘中的美味。于是，这种主要在日落之后活动的小动物选择灰色调以增加生存机会。

可是丑小鸭都能变天鹅！灰老鼠也有机会改头换面成为超级明星。想想米老鼠、飞毛腿冈萨雷斯和杰瑞吧。这些大名鼎鼎的小老鼠都完全符合人类的审美理想：水汪汪滴溜圆的大眼睛、超级大耳朵、漂亮的小脑袋和神气十足的尾巴（和它们现实生活中又丑又长的尾巴完全不一样哦）——完全一副崭新的、人见人爱的模样。

华特·迪士尼，米老鼠之父，肯定和洛伦茨 ❷ 不谋而合。这是一种不需借助文字就能向全世界传播的图形语言，几乎每个人都对米老鼠一见倾心：噢，太可爱了！我也想要摸摸！

米老鼠们确实和它们的同类有着天壤之别。它们没有天敌，汤姆一辈子都不可能抓到杰瑞。还有，它们完全不考虑后代。我们不知道米妮和米奇一天到晚忙活些什么，但不管怎样，绝对和生育无关。这一点上与它们的鼠类同胞们可大大不同。哺乳动物中就数老鼠的繁殖能力最强了。因为它天敌太多，大量繁殖就相当有必要了。只要有一对老鼠在食品储藏室里安了家，那里马上就能鼠多成患。这时我们就会觉得它们一点儿也不可爱了。面对被啃得七零八落的食品，我们只好求助于捕鼠器或会抓老鼠的猫咪。

教堂老鼠的生活才是最悲惨的。教堂根本就不是一个适宜老鼠定居的地方。它们不能只靠喝圣水过活，经书倒还可以拿来磨牙，但也终究填不饱肚子。只不过它们在教堂里相对安全，不会动不动就惨遭横祸。其实，我们最希望有"老鼠钞票"❷，这样，当我们用"老鼠"付了账以后，它们在钱包里就会像在大自然中一样疯狂地成倍增长。只可惜，人们必须首先有了足够多的钱，才能实现钱生钱的美梦。

---

❷ 康拉德·洛伦茨（1903—1989），1973年诺贝尔生理学或医学奖得主。他认为动物幼崽都具有圆脸、大眼睛等特征。由此他还发明了"洛伦茨动物幼崽图示"这个名词。

❷ 德语口语中称钱为"耗子"。

动物也怕黑吗？

并不是所有动物都有一双"猫眼"，但它们也不会为此嫉妒猫咪。反正自己用鼻子来"看"东西的时候更多。既然如此，为什么那些动物还怕黑呢？

其实，动物中也有形形色色的胆小鬼。年幼时心灵上的一次重创能让原本非常凶悍的看家狗变成懦弱的家伙；如果可怜的"米妮"曾在黑乎乎的地窖里踩上捕鼠器，那它绝不愿再次踏入那可怕的"魔窟"。新年的鞭炮声或电闪雷鸣也可能让宠物们心惊胆战。当小猫小狗哆嗦着躲回小窝时，那多半是受了点惊吓。当然，也不用着急给它请心理医生，主人充满关爱的抚摸加上温言软语一定能让它们走出心灵阴影。

相比较而言，野生动物们的适应能力就强多了。比如在允许狩猎的区域，鹿和野猪们就会昼伏夜出。它们会努力让眼睛去适应黑暗，从而在夜间也能看得一清二楚。相反，在禁猎的瑞士国家公园，人们可以看到野鹿在大白天里悠然自得地出来蹦跶。它们在深秋时节会迁往奥地利，因为很清楚当地有猎人出没，它们会再度调整自己的生物钟，又一次成了"夜猫子"。

对于有"猫眼"的动物——如山猫、狐狸、狼和貂这些肉食动物来说，黑灯瞎火根本就不是问题。它们眼睛的功能和夜视仪差不多，而且借助黑暗的保护，它们能更好地隐藏自己，所以实际上反而有些怕光。这种看上去既清澈又犀利的猫眼配有特殊的光学仪器——余光增强器。在猫眼深处还有一层能将进入眼睛的光线反射出来的结构，以增强接收到的光刺激。因此它们能看得更加清楚，可口的猎物就再也无法逃过它们的火眼金睛。在动物王国里，猫眼显然比鸡的眼睛（鸡在夜间不能视物）有用多了。

还是有许多动物晚上并不会出来活动。太阳落山后，森林和田野笼罩在一片寂静之中。动物们也需要睡眠，体型越小越贪睡。反过来，成年大象基本上不睡觉，最多不过站着打个盹儿，而且也绝不超过4个小时。它若不小心睡过头就得挨饿了。大象每天至少要进食20个小时，才能得到维系生命的245 000卡路里热量。总在忙着填饱肚子的它们确实没时间美美地睡上一觉，更没那闲工夫怕黑了。

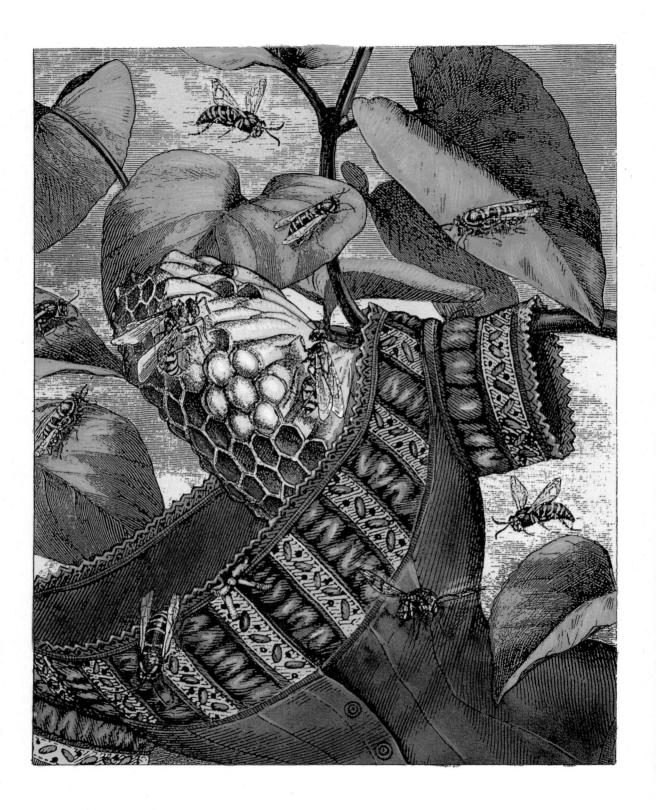

为什么蜜蜂没有蜂腰？

谁说蜜蜂没有蜂腰，用放大镜可以清楚看到，蜜蜂的身体其实也分成三节。而黄蜂之所以更显得腰肢纤细，体态优雅，无非是因为它们的躯干伸展得更修长罢了。

蜂腰到底有什么好处呢？它其实是散热器。因为越大的体表面积，越有助于在飞行时散热。所以女人们并不需要蜂腰，人类本来就怕冷，而且也不会飞行。

虽说如此，女人们还是在健身房里大汗淋漓地运动，和吃下去的每一卡路里战斗，黄蜂们却从不为节食而烦恼。它们简直就是嗜食症患者，逮着什么吃什么，可依然能保持窈窕细腰。蜜蜂信奉严格的素食主义，黄蜂则食无禁忌，它们既喜欢甜食，也不放过肉类和啤酒，除此以外，还成群结队地去消灭害虫。所以它们也还算是勤劳的蜂类。

黄蜂对拜仁慕尼黑的球迷来说特别碍眼，因为它们成天穿着多特蒙德队的黄黑剑条衫招摇过市。其实它们选用这种张扬的颜色绝非偶然，是在警告对手：注意！生人勿近，当心有刺！或者是：射门，射门！和每每说到做到的黄蜂相比，效仿者不能兑现的口号就显得拙劣多了。

于是，一些聪明的小飞虫就觉得既然黄黑色的衣服这么有威慑力，我们何不也搞两套来穿穿？心动不如行动，食蚜蝇也弄了一套黄黑相间的"外衣"，还装模作样地学黄蜂嗡嗡叫着、飞舞着，只是压根儿不会蜇人。鸟儿们不辨真伪，还真给唬住了，不敢靠近。谁敢贸然去招惹那些随时准备反蜇一口的小家伙呢？我们也一样，看到装神弄鬼的食蚜蝇也会躲开，但每每躲不过真会蜇人的黄蜂，因为我们太爱在阳台上吃甜点了。

捅马蜂窝也不是什么好玩的事儿。黄蜂会用复眼把侵略家园的捣蛋鬼认得一清二楚，整个蜂群倾巢出动，决不善罢甘休。这可不是吓唬人，有时一个冰激凌就能招来一群黄蜂，追得人们抱头鼠窜。它们视觉敏锐，嗅觉一流，而且仗义公平，一旦发现哪儿有好吃的，马上一传十，十传百，所以我们很少看到黄蜂孤军作战。

鹅会起鹅皮疙瘩吗？

我们不会对鹅说，噢！天哪，你都起鹅皮疙瘩了。因为我们连它们的皮都看不到，我们只能在被拔光了羽毛，又烤得焦黄脆嫩的鹅皮上才能清楚地看到它的每个毛孔，像极了我们自己汗毛直竖、起鸡皮疙瘩时的样子。

人类感到恐惧时，皮肤表层下细小的立毛肌能让汗毛竖起来。而面对一只在附近逡巡的狐狸时，鹅吓得竖起来的则是它的羽毛。其他动物也会因发怒或恐惧做出类似反应，而其中最具震撼效果的当属猩猩。它一发脾气，能把全身的毛发都竖起来。和它相比，嬉皮士辛辛苦苦竖起来的"公鸡头"也相形见绌。

若看到鹅正在气头上，我们最好还是躲远点。被一只重达6~7千克的成年鹅狠狠咬上一口可不是闹着玩儿的，至少也会留下青紫淤痕作为教训，要是小孩子被公鹅用翅膀使劲一扇，连胳膊甚至都会被打断。看来让人们真正有安全感的就只剩下圣诞节烤鹅了，它才是所有人都喜闻乐见的。

鹅从来不为御寒的问题伤脑筋。我们经常因为夜里太冷或者穿得太少而瑟瑟发抖，浑身起鸡皮疙瘩。鹅哪怕下到刺骨的水里也绝不缩手缩脚。想想羽绒睡袋里有多温暖，就不难理解身着羽绒外套的鹅为什么对冬天满不在乎了。为了保护自己的脚在冰水中不会被冻坏，它们自有一套秘方。

鹅和其他的水鸟体内都装有"暖气片"。它们的动脉和静脉血管被特殊的肌肉所环绕，这些肌肉起着阀门的作用。到了冬天，肌肉阀门会像暖气片开关一样关闭起来，只允许很少一部分血液流向脚蹼——刚好能提供足够的氧气和热量，因此脚部的温度远远低于身体其他部分。流回心脏的血液也会因体温调节而被额外加热——这是多么巧妙的节能设计啊！

鹅还可以干脆选择另一种实用方法——把脚缩回来，整个儿裹进温暖的鹅绒外套里。

被淋湿的萤火虫
会短路吗？

好在萤火虫既没有正极，也没有负极，所以即便在雨中也不会短路。萤火虫的那盏小绿灯，可不是什么电流发光，而是不会产生热量的冷光——生物发光。换句话说，萤光是通过一系列复杂的生化反应产生的，它主要来自一种有机分子的氧化反应。催化反应的萤光素酶的英文是 luciferase，取名于神话中的那位堕落天使——光之使者路西法（Lucifer）。生物发光最大的妙处在于：发光的动物们永远不必换灯泡。

在德国我们看不到提着灯笼的萤火虫成双入对，因为只有雌虫才可以发出吸引配偶的萤光。雄虫一看到绿色萤光就迫不及待地赶来赴约，大多数情况下雄虫都会受到雌性伴侣的热情接待。

然而美洲有一种萤火虫，它的雄虫常会因为轻信而赴一场死亡约会。雌虫用充满诱惑的萤光吸引它们，不是为了交配繁殖，而是张着嘴等待送上门来的美味晚餐。

德国可没有这种阴险狡诈的家伙。仲夏之夜，萤火虫在我们眼前翩翩起舞，雄虫被那可爱的情人迷得神魂颠倒，坠入爱河。

其实，除了萤火虫外还有许许多多可以发光的生物，例如一种叫作双鞭毛虫的原生生物。它们发出的生物萤光可以让大海盈盈发亮，借着这光线人们甚至可以在夜间的海上读书看报。还有会发光的千足虫、苔藓和一种能发光的蘑菇——蜜环菌，主要是它的"根部"在发亮。这些纤维状的发光菌丝味道鲜美，但你必须首先去掉上面的菌盖，并懂得如何烹饪，不然也会味同嚼蜡。再比如有一类深海萤火鱿能在触角表皮里储存萤光细菌，以吸引猎物，发光有时也可以用于吓退敌人。人们对大多数生物发光的功能还不甚了解，但我们可以肯定，它们总有自己的妙用，而且环保节能。

动物也度假吗？

即便没有休假津贴，动物们对外出度假的热情也丝毫不减。随着秋风萧瑟，天气转凉，动物们便开始大举南下。椋鸟、莺、鹳和海燕都迁往更暖和的地带，人们总在想方设法购买廉价机票，鸟儿们则方便得多，只需要展翅飞翔——有时要飞上7000多公里。

飞往南欧和非洲的候鸟远远不像我们整天躺在沙滩上或泡在酒吧里的度假那么逍遥，更何况它们飞越万水千山根本不是去享乐，而纯粹是生存所迫。万一冬季滞留北方，它们多半都得饿死。

但有些动物出远门的确只为散散心，换换空气。例如鲸会游到南方去度蜜月，在哺育幼鲸时又会回到北方。在面临严峻的生活考验之前，它们先给自己来一趟"豪华海上游"。

还有些动物一辈子都舍不得挪窝，那些森林中和草原上的"居民"基本上不离家园。无论是鹿、獾、狐狸还是知更鸟，一旦定居下来，绝不搬迁——其实它们也是无可奈何，伸伸脚指头都会被左邻右舍认定为图谋不轨、扩张地盘，误会一旦闹大谁都不好收场。

假如宠物狗被带着一同入住地中海沿岸的豪华宾馆，它也不一定会觉得有多么荣幸。这可不是因为这家伙不知好歹，完全是因为它觉得金窝银窝不如自家的狗窝。即便可以在卡普里岛或夏威夷海滩的白色沙滩上踱步，在它眼里也没什么稀罕。小狗永远都认为：出门千般好，不如赖在家。

正因为狗的日常生活没什么压力，所以度假放松对它来说可有可无。而那些辛勤工作的动物则完全不这么想。比如印度的大象，好不容易熬到了下班，谁要是还想拖延时间，它们可绝不给好脸色看！要知道，这些大象每天的作息时刻表几乎精确到分钟：一大早4点钟它们就被带出丛林，接下来吃早餐、洗澡，然后便一直工作到10点钟日晒三竿。在炎热的午间小憩片刻，下午2点或3点再次补充能量，最后准时被放回丛林。经过一天的辛苦劳作，它们终于能享受闲暇时光了。领象人必须严格遵守一个星期40或50个小时的工作制。倘若惹恼了这些大象"员工"，它们搞个集体罢工，印度人只能束手无策。谁又敢在愤怒的大象面前指手画脚呢？

牛喜欢牛铃吗？

牛喜欢牛铃的声音吗？这倒不一定，因为牛铃只是用来让高山牧民们方便找到自己牛群的。

牧民每隔两个星期会带着盐来到牧场。为了在埋头吃草的群牛中找出自己的牲畜，他们给头牛的脖子上挂着铃铛。当头牛听到了主人的叫唤，会带着自己的队伍不紧不慢地踱过来。它们知道主人又把盐送来了，于是牛儿们在草料中无法摄取到的矿物质就会得到及时的补充。

牛铃不仅给牧民带来了方便，对牛本身也意义重大，它是头牛地位的象征。牛一旦脖子上被拴上铃铛，便油然而生出一股自豪感：俺今天总算可以过把发号施令的瘾了！所以自命不凡的家伙肯定不适合这一领导职位。即便侥幸获此殊荣，一旦行为稍有差池，它就会得而复失。

而德国阿尔高草原上所有的牛都戴着牛铃，这不是因为牧民怕它们互相嫉妒而搞的平均主义，而是那里历来的风俗习惯。这也许有宗教迷信的成分，很多人都认为铃声可以驱魔除怪。于是蒙古人给马、贝都因人给骆驼也都挂上小铃铛。基督教的钟声以及给傻子戴的避邪铃铛也都是取自这种象征意义。

到了冬天，牛儿在进棚前必须卸下它们精巧的装备，所有的铃铛都得交公，否则那巨大的嘈杂声将搅得整个牲畜棚不得安宁。

失去牛铃的牛儿们似乎也无动于衷，反正和草场不一样，牛棚里施行的完全是另一套管理体制。为避免左邻右舍的牛之间发生冲突，牧民们往往把关系亲密的牛拴在一处。牛铃在这里无关紧要，牛自然不会对它念念不忘。

开春时节，当它们再次戴上铃铛时仍然会激动异常。铃声越是低沉悠远，它们越觉得心旷神怡；太过尖锐刺耳的高音有可能会让牛儿歇斯底里。

猪会吹口哨吗?

谁要是以为猪在吹口哨,那他耳朵八成是有问题。依咱们人类的定义,能吹口哨至少得有特殊的嘴部肌肉。猪没有这种肌肉,但不等于说它没有音乐细胞。确切地讲,它其实是无与伦比的"假声王子",能发出美妙的高音,只不过在我们耳朵里就成了一种声嘶力竭的嚎叫声罢了。

动物们都有音乐天分,因为它们的听觉系统远比人类发达。它们能接收到非常广阔的音域,甚至包括次声波和超声波。比方说,小狗会随着主人的狗哨声起舞,尽管主人自己什么都听不见。

众所周知,鸟儿们都是歌唱家。旭日东升,鸟儿在窗外叽叽喳喳地歌唱,唤醒美好的一天;暮色降临,枝头上夜莺婉转悠扬的啼声,勾起无限浪漫的情怀。鸟类中的超级歌星偏偏是那些在我们眼里只会呱呱乱叫的家伙:鹦鹉、椋鸟、渡鸦。尽管它们没有嘴唇只有坚硬的鸟喙,可只要听到我们吹上一段小调,它们马上就能跟着唱和起来。八哥和鹦鹉则是绝妙的声音模仿家,我们运用舌头、嘴唇和喉咙才发出的各种声音,它们仅用喉咙就能模仿。哪怕是我们撮起嘴唇,让气流高速通过而发出的口哨声,对这些模仿家来说也不在话下。

有些白鹦鹉能惟妙惟肖地模仿电话铃声,它们的"口技"常常令主人哭笑不得:急匆匆地跑到电话机旁,却发现自己又被涮了一把。

另外,虽然大猩猩和黑猩猩有着跟人类相似的嘴唇,却因为没有学过该如何运用嘴部肌肉,所以仍然不会吹口哨。而大象会把两个"指头"放在嘴里打呼哨!这不是开玩笑哦。非洲象的长鼻子尖分开,形成两个"指头"。它动不动就向饲养员打个呼哨:喂,我肚子又饿了!

科学家们早就通过实验证明奶牛也是音乐发烧友,而且显然它们在音乐品位上偏于保守。如果用古典音乐作为背景乐,牛奶的产量将显著提高。倘若换成电子摇滚乐,它们就会立即无精打采,奶水供应也一下子变得吝啬起来。而巴赫则能让它们再次精神抖擞,奶水也就源源而来。

螳螂信上帝吗？

螳螂看起来确实像修女，它们用前足在胸前摆出毕恭毕敬的作揖状，好像正在祷告。然而这都是装模作样，螳螂实际上一点也不虔诚。

如果雄螳螂还一息尚存，它们绝对有理由把"爱妻"告上法庭，然而一切都无法挽回。它们一旦被狡诈的雌螳螂诱入"洞房"，生命也就走到了尽头。随着交配开始，貌似"虔诚"的雌螳螂便胃口大开。说它虔诚，还不如说它虔诚地服从自己的食欲。丈夫身体里含有大量蛋白质，这些是它产卵时的最佳补品。

雌性黑寡妇蜘蛛同样也不会有"丧偶"之痛，事实上它们成为"寡妇"也是自己一手造成的，杀夫方法和雌螳螂如出一辙。交尾期间，15毫米长的雌蜘蛛将仅有5毫米长的"夫君"层层包裹成一个"茧"，留待日后慢慢享用。听上去确实令人不寒而栗，但最终目的还是为了传宗接代。

当我们了解了黑寡妇"吃夫"的初衷，对它的印象也许能略有改观。不过对它还是要格外小心，虽然被咬上一口一般不会致命，但也会让人痛苦不堪。和其他毒蜘蛛一样，黑寡妇的口器里也含有毒素，这会引发所谓的"毒蛛中毒"症状。受害者剧痛难忍，以至于一下子跳起来。原本健康的人可能会立即出现与破伤风类似的症状。据说西西里岛著名的塔兰图拉舞（根据塔兰图拉毒蜘蛛而命名）正是模仿中毒者症状而发明的一种快节奏舞蹈。幸亏现在我们已经研制出有效的抗毒血清，但若中毒者本身就患有心脏病，恐怕还是会九死一生。

生活在地中海沿岸的黑寡妇蜘蛛体型不大，通体漆黑、腹部鲜红，在众多令人闻之色变的毒蜘蛛中，它曾经给人类带来最大的威胁。虽然许多其他种类的热带蜘蛛也能制造出致命的毒液，但因为体型实在太小，它们的螯根本无法穿透我们人类的皮肤。

腿上长着浓密长毛的巨型捕鸟蛛虽然是鸟类的死敌，但对人类伤害不大。它们用强劲有力的螯肢来对付猎物。

刺猬到底有多少根刺？

给你一个放大镜和小镊子，不管你怎么数，最后都会发现，一只刺猬依其个头大小不同约有16 000到17 000根刺。刺猬平均体重为1200克，而重达2000克的胖刺猬也同样有大约17 000根刺，这些刺每根只有1毫米粗。

虽然我们常说不要以貌取人，但刺猬的外表实在太能说明问题了。它们身上明明白白地写着"别碰我"三个大字，且摆出一点就着的架势。谁要是壮起胆子去摸刺猬，它肯定会发出呼噜呼噜的低吼声和吱吱叫声，皮下肌肉条件反射地紧张起来，刺会根根竖起。这种"天然武器"主要是对付捕食者，特别是其宿敌狐狸。狐狸常悻悻地收回被刺伤的爪子，眼睁睁地放弃这道美味。只有狡猾的老狐狸才能收拾得了这个"小刺球"。

刺猬们彼此间就不能互相依偎吗？亲密无间是不大可行，但刺猬终究也要交配，而且从来就没有发生过其中一方被刺穿的惨剧。动物学者们曾经设想它们是面对面地进行交配。但现在已经证实，这种方式是倭黑猩猩和人类的专利。公刺猬仍然需要爬到母刺猬的背上来完成交配。此时，母刺猬为了不伤到伴侣，要尽量松弛肌肉，好让刺服帖下来。这对双方都是一次无比艰巨的任务，交配过程只有短短几秒钟，但可以反复多次。

刺猬顶着成千上万的刺儿过活，麻烦事还远不止这些。就像我们总为各种各样的头发问题所困扰一样，刺猬也拿它的刺儿没辙：脱刺、分叉、缠结，而最主要的问题是跳蚤。如果刺猬背上的刺稀稀拉拉，那它估计病得不轻。就算有人好心把它带回家来照料也无济于事，而且这也违犯《自然保护法》。刺猬那身桀骜不驯的刺已经表明它绝不属于宠物的行列。

要是真想善待刺猬，那就应该在后花园用大量树枝堆起一个小堆（本杰士堆❤）。各种植物将在短短的时间内从中萌发出来，比如凤仙花和狗尾巴草。鸟儿的粪便会带来种子和肥料。

不止刺猬，很多小动物都喜欢这样的树枝堆，比如巧妇鸟、水游蛇和小鼬鼠，它们在这里肯定比那个可怜巴巴的花园小矮人愉快得多。

❤ 参见作者的《园长带你逛动物园》。——编者注

31

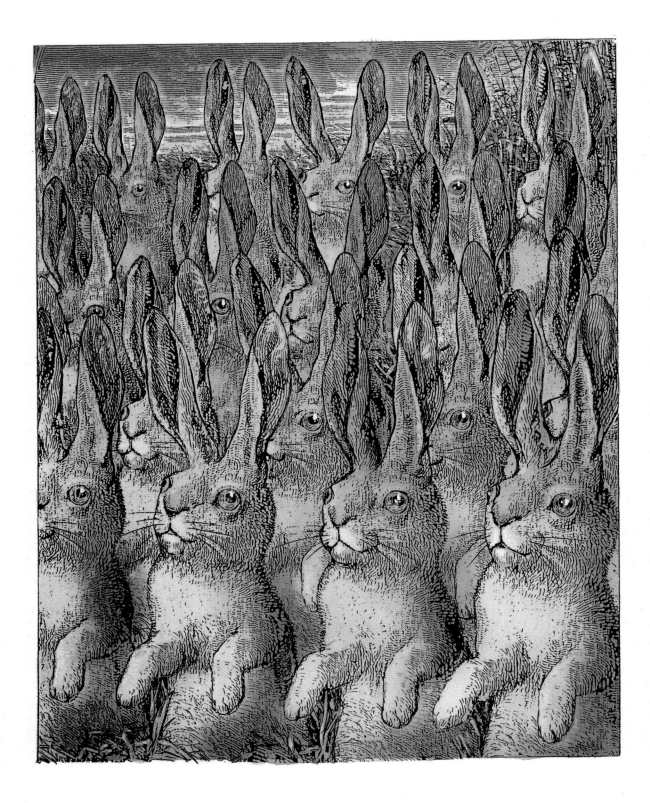

有没有不生小兔子的兔子？

当然有不生小兔子的兔子喽——只要它还不到8个月。一旦性成熟以后，它就开始毫不客气地大量繁殖起来。

德国有句谚语：生得跟兔子一样快！曾经养过兔子的人肯定深有体会，因为兔子繁殖起来快得吓人，数都数不过来。这主要因为它只有30天左右的怀孕期。母兔子从3月到11月间可生产5到6窝，每窝小兔仔最多可达15只。我们粗略计算了一下，一对兔子在一年内可以生下90只小兔子，而这90只兔子8个月后又可以生下……

既然这样，那为什么地球还没有"兔满为患"呢？这是因为兔子天敌的数量也远非其他动物能比。兔子不是色情狂，它们的疯狂繁殖完全是迫于自然界的生存压力。被狐狸、老鹰和其他肉食动物吃掉的兔子越多，兔子就越要生下更多小兔子以维持物种延续。大规模繁殖是它们的生存策略，只不过苦了那些只想养一对宠物兔的人们。

倘若知道了田鼠的生育能力，性欲旺盛的公兔恐怕也只能甘拜下风！一对田鼠能生出一个"田鼠军团"来——要不是绝大多数幼鼠一出生就被其他动物吃掉了的话。公鼠出生28天后性成熟，母鼠则每6天体重翻倍，11天后便可生儿育女。它们怀胎只用24天，一年产5到6窝，平均每窝13到15只小田鼠；没几天，小家伙也长大了，随即加入产仔大军。这下我们根本用不着计算就可以想象，那将是怎样一番"鼠口爆炸"的景象。好在它们也有众多天敌。自然界的法则其实很简单：某一种类的捕食压力越大，即天敌越多，幼兽的成活率就越低，于是成年动物就必须产下更多幼仔。

鱼是广种薄收的最佳例证。例如翻车鱼，一种长达1.5米的大型海洋鱼类。它一次性可产3亿粒卵——但绝大部分被其他鱼咕噜咕噜地吞掉了。鲟鱼则更加可怜，它们一次在水中产下八百万颗鱼卵，但大部分都被食品厂制成了美味的鱼子酱。这下子它们的天敌——人类——该于心不忍了吧？

猪脏吗?

只要人们肯悉心照料,猪一样可以清爽可爱,光洁的皮肤上还能泛出淡淡红晕。换句话说,人才是邋遢鬼。因为他们让猪挤在又小又脏的猪圈里,不给它们足够的活动空间,更别说让它们到草地上去撒欢儿了。生活在广阔牧场里的猪身上不仅没有异味,而且正相反,还带着松露的清香,因此人们训练猪来寻找珍稀的松露。它灵敏的鼻子能嗅出这种芳香,拱出深藏在地下的松露,没准儿还自以为找到了同类。

猪之所以成了今天这副样子,是因为它们整天在污泥中打滚。猪圈里尽是粪便和残羹污水,它们又怎么可能洁身自好!猪圈毕竟是猪圈。可为什么猪和狗偏偏就喜欢在地上滚来滚去呢?这其实是它们对付虱子和跳蚤的土方:把它们压扁,或者让它们在污泥中窒息。好在我们大可不必满地翻滚,万一生了虱子,只要上一趟药店就能轻松搞定。

假如小狗也在腐尸和粪便上打过滚,那它身上的味道同样好不到哪儿去。唯一的办法是把它扔进澡盆彻彻底底洗个干净。

有些狗乐于洗澡,而有些只想草草了事。但狗和猪毕竟不同,清洗两三下也就够了。因为狗和猫平日里都善于用舌头完成个人卫生,甚至包括肛门区。对于动物们来说,这样的清洁程度往往就能达标了。

动物的皮肤上布满了油脂腺,这给了皮肤自动清洁的功能——我们的耳道也有这样的腺体,所以不要再用棉签挖耳朵了。

动物们虽然很干净,但还是不能和我们亲密无间。过于频繁地抚摸和吻它们,甚至抱着小狗一块儿睡觉可不太妙。这并不仅仅因为狗是邋遢鬼!而是因为这么做会传染疾病,危害健康——比如沙门氏菌感染和包虫病。狗留在游乐场沙坑中的粪便也经常隐藏着病原体。所以为了小孩子的健康,应该定期让狗做检查并除虫,尤其要禁止小狗在儿童游乐场里随地大小便!

对猫也不宜太亲近,尤其是孕妇。因为它能传播弓形虫病,一种可能引发早产、流产及婴儿脑水肿的疾病。

说到底,要和这些小动物保持适当的距离。于是,这才出现了那些耳朵上带纽扣的泰迪熊。

乌鸦是惯偷吗？

乌鸦是偷盗高手，只要是能吃的东西，都会被它们"顺手牵羊"。尤其当乌鸦在春天进入孵卵期，无暇去寻找食物时，这股偷盗之风便越来越盛。任何鸟巢都有可能是它们下手的目标。它们不光偷走鸟蛋，有时甚至连雏鸟都不放过，这使得其他鸟类损失惨重。

乌鸦小偷小摸的习性给人们带来的麻烦也不少。和它臭名昭著的同伙喜鹊一样，乌鸦也对闪闪发亮的玩意儿情有独钟：眼镜架、玻璃碎片、钻石珠宝、戒指……鸦科鸟类们兴致勃勃地收集各种发光物品，随后一股脑儿堆在窝里——这可是窝藏赃物的绝佳之地。可怜那些丢了眼镜的人们也许还在花园里摸索，一个劲地埋怨自己粗心大意。至今还没有证据表明，雌鸦比雄鸦更迷恋珠宝。

乌鸦和喜鹊的智商特别高。它们和人类共通的地方绝不仅限于对珠宝的贪婪和诡计多端的盗窃手法——它们也会说话。作为德国体型最大的鸣禽，乌鸦比喜鹊更容易接受训练。人们可以将乌鸦驯化后顺便教上几个单词。它们最擅长用鸟喙发出带"a"或"o"的音节，比方说"来啊！"或者"哦！"；它们还能毫不费劲地学会双音节粗口。

阿拉斯加的乌鸦"说话"要文雅得多。它们的词汇量大得惊人，能够运用上百种不同的发音来传递信息，诸如是否抓到鳗鱼或其他猎物等。

说乌鸦机灵可不是没有道理的。在特林吉特人（生活在阿拉斯加的北美原住民的一支）的神话中，乌鸦和熊创造了人类。在格林童话《七只乌鸦》里它们同样目光敏锐。乌鸦无须拍动翅膀就能在500米空中盘旋，地面上极小的奶酪碎屑也逃不过它们的"千里眼"。一旦它将食物叼在嘴里，就决不会轻易松口——哪怕狡猾的狐狸大肆吹捧它的歌唱技艺。拉封丹在他的寓言里用那只虚荣又愚蠢的乌鸦蒙蔽了读者，实际上乌鸦才不会这么犯傻呢。

另外，关于乌鸦家长根本不照顾孩子的故事也纯属捏造，其实它们同样也在不辞劳苦地养育后代。看来，是洗刷乌鸦们不白之冤的时候了！

浣熊需要洗衣板吗？

小浣熊除了自己的身体外，什么东西都爱拿来浣洗。蜗牛、瓷器碎片、瓶子、食物——任何东西到了它手里，都得先经过漂洗这道工序，入口的食物更会涮得干干净净。除非它实在饿坏了，才会不管三七二十一就直接吞下肚去。浣熊洗东西可不是因为洁癖，而是为了满足玩耍的天性。浣熊们还特别喜欢在浅水的卵石下找寻零食——各类昆虫或美味的石蚕。有个洗衣板只会更碍事儿。

浣熊喜欢用脚掌踩水，但水位若高过脖子，它便不乐意了。所以它应该叫作"浣猫"才对。它们显然也没有洗衣板一样平坦的腹部，而是天生带着小肚腩。因为吃东西是浣熊们最大的爱好，它们一天到晚吃到撑，长成了圆圆滚滚的样子。可重约5千克的浣熊一点也不笨拙，仍是天才的攀缘高手。它能像树懒一样背朝下用四肢倒挂。浣熊有着一身绝妙的保护色，灰褐色的毛皮能和树皮浑然一体。假如它在树上一动不动，谁都不容易发现它。

然而浣熊红棕色、亮晶晶的眼睛最终出卖了自己。印第安人常常带着熊熊燃烧的火把去猎捕浣熊，在火光的辉映下浣熊的小眼睛异常明亮。可浣熊比狐狸还精明，吃一堑长一智，竟然渐渐学会了用前掌遮住眼睛，从而不暴露藏身之处。就像天真可爱的小孩子，满以为用手挡住眼睛就把自己藏起来了——不过小浣熊用这一招还真奏效呢。

大家都知道浣熊其实不属于熊类，它自立门户，属于浣熊科。浣熊们的行为更像猴子，哪怕上了年纪依旧玩性不减，经常干些荒唐事。在北美，满街的垃圾不全是快餐店的责任，浣熊在其中也掺和不少。每到黎明和黄昏，浣熊都喜欢跑到垃圾堆里一阵捣鼓。有好吃的它们就狼吞虎咽，剩下的就乱扔一地。

浣熊大军现在正挺进德国：几只聪明的家伙竟然逃出了德国的毛皮加工厂，不仅摆脱了被制成大衣的悲惨命运，而且开始安家落户，"生儿育女"。所以当我们在巴伐利亚的森林里遇到黄白眼圈的小家伙时，不要以为它们是《米老鼠》里撬保险箱的笨贼哦！

狼真的像童话里描述的那么凶恶吗？

小红帽问大灰狼："你的嘴为什么这么大啊？"大灰狼回答："嘴巴这么大，才能把你一口吃掉啊！"

我们小时候就听过很多关于狼的故事：它吃掉了小女孩和她卧病在床的老祖母；它千方百计诱骗七只可怜无助的小羊羔；它披着羊皮对可爱的小猪虎视眈眈。难怪孩子们对狼又恨又怕。实际上这些坏名声并不公平，狼并不比其他肉食动物更凶残，它也是饿了才去猎食。

那为什么人们一说到狼就胆战心惊呢？这有着历史原因：早期，狼的确给生活在底层的农奴们带来了极大的威胁。他们当年住在大庄园主领地的外围，只准许饲养几头羊。狼一来便咬死了这些牲畜，让他们失去了赖以生存的全部财产，更加困苦不堪。在他们眼里，狼是最大的祸患。

其实狼碰到人反而要绕道走。"大恶狼"主要是吃老鼠和其他小型啮齿动物。它们也吃腐尸，即死去动物的残骸。据说拿破仑战争中有成群结队的野狼紧跟着军队，它们等待一场血战结束之后，扑向士兵的尸体。狼很少主动进攻人。即便有，也主要出现在冰天雪地时的俄罗斯，它们那时已经饿疯了。也就是说，当小红帽在森林里遇见狼的时候完全不必害怕。即便狼从东欧又渐渐迁回西欧的森林，人们也用不着恐慌。人类最好的朋友——狗的祖先不正是狼吗？无论是圣伯纳犬、贵宾犬还是猎獾犬都是由狼渐渐演变而成的。所以狼对我们来说并没有那么陌生，有时候我们自己不是也喜欢学狼一样嗷嗷叫吗？

狼喜欢嗥叫，不是因为害怕、痛苦或者忧伤，而是通过叫声彼此交流。野生动物学家们发现，狼可以和相距很远的同类通话。比如，一只狼对另一只嗷嗷叫着说："快看，那儿有驯鹿！"或者说："小心，人来了！"

因纽特人常年听到这类狼嗥声，因此他们都略懂一二。他们能从狼的叫声中分辨出，来的到底是白人还是当地人。狼之间的远程通信非常便利——手机根本没有用武之地。

驴为什么长着长耳朵?

不爱学习的小木偶匹诺曹天天玩耍,于是长出了长长的驴耳朵。驴儿们可不该受到这样的惩罚。它们总在任劳任怨地干活,可是为什么也会长着长耳朵呢?

驴子的耳朵又长又尖,这是草原动物的典型特征。漏斗状的耳朵使它们能清楚地听到远处的声音。驴可以用特别强劲的耳部肌肉让耳朵挺立起来,一旦它累了或者觉得没趣儿,就会让这部分肌肉松弛,耳朵自然也就耷拉下来。

如果想亲眼看看驴耳朵究竟长什么样子,建议你到欧洲南部去旅游,那边更容易看到驴子。它们懒洋洋地晒着午后的太阳,耷拉着耳朵。可不要随便摸驴耳朵哦,它会冷不防咬你一口。被驴咬一口可比被马亲一下惨多了。

对驴的成见中有一点是正确的,即所谓的驴脾气。可接下来人们又说它是蠢驴,这就完全是恶语中伤。人们这么说是出于恼羞成怒,谁叫驴儿一点也不像马那样驯服呢。驴子天生就不愿意对人言听计从。正如和狗比起来,猫也从来不爱听人使唤一样。驴子倔强的性格和暴躁的脾气常得罪人,所以它们便被冠以"蠢驴"的称号。

可人们还是离不开驴。理由很简单,除了它,没有其他动物能忍受着酷暑在狭窄的山路上驮运重物。人们看重驴子的长处,同时又希望它能像马一样温顺,于是让这两种动物杂交,生下"骡子"——一种极有耐力、灵活而又乖巧的动物。

在文化史上,驴通常被看作下层劳动人民的动物,所以《圣经》里曾多次出现驴子的身影。在棕枝主日(复活节前的星期日),耶稣就是骑在驴子背上进入耶路撒冷的。假如他骑着高头大马,估计就很难真正得到人们的拥戴了。

为什么黄鼠狼喜欢拿电缆当面条？

不论是老得生锈的"士官生"轿车还是崭新的宝马敞篷跑车，它们的电缆在黄鼠狼嘴里都一样美味，也许更贴切地说，都一样令人难以下咽。即便人们倡导所谓"法国新式烹饪运动"，即讲究食物的原汁原味，那些玩意儿的味道仍可想而知。可见黄鼠狼们的乐趣肯定是在啃咬的过程中。它对刹车线的嗜好，也许和有些人偏爱箭牌口香糖一样——只为"运动你的脸"。不管怎样，黄鼠狼对汽车的破坏并无恶意。

小牛犊也有相同癖好。有时人们会使用聚苯乙烯塑胶墙为牛棚保暖。小牛犊们便兴高采烈地啃着聚苯乙烯，不时发出咔嚓咔嚓的声音。我们一直弄不明白，它们到底是在玩味咬上去的口感呢，还是陶醉在美妙的咔嚓乐声中。但至少有一点是肯定的，聚苯乙烯嚼起来可绝对不是味儿。尽管如此，它们还是像享用节日大餐一样吃得津津有味。

关于黄鼠狼钻到车底是为了取暖的看法很难自圆其说，因为不论春夏秋冬，它们都一如既往地迷恋车底。"电缆口香糖"根本就不能拿来填饱肚子。黄鼠狼们不过是吃上了瘾，散发着汽油味的电缆极可能成为"黄鼠狼海洛因"。沾染着人类文明气息的东西对黄鼠狼向来有神奇的吸引力。和其他羞答答见人就跑的动物不同，黄鼠狼和狐狸简直对现代文明崇拜不已。只要哪里升起了炊烟，黄鼠狼们就向那里转移，把家安在近旁过起养尊处优的日子来。它们知道在居民区周围能找到丰富的食物——垃圾桶、厨房垃圾，最好还有一两个挤得满满的鸡鸭棚——这里简直就是肉食动物的"懒汉之家"。对于总喜欢贪便宜走捷径的家伙来说，取食花费的时间和气力越少越好。

在慕尼黑的谷物市场上，人们看到了专门清理垃圾桶的狐狸。在加拿大的哈得孙湾，有人甚至看到北极熊们公然跑到垃圾山上东挑西拣。为了当地居民的安全，政府不得不把它们麻醉后用直升机送回几百公里以外的老家。

为了打消黄鼠狼把汽车当汉堡的念头，人们绞尽脑汁。有博士以此作为课题，撰文讨论是否该把狼或其他动物的粪便涂在电缆上吓唬它们。但一切都是徒劳，电缆已经成为黄鼠狼们难以割舍的佳肴。只要看到电缆，它们永远都会胃口大开。

蝙蝠是老鼠吗？

蝙蝠有着和老鼠一样的皮，一样的耳朵，差不多的个头，却不是老鼠。它甚至根本就不是啮齿目动物，而是属于另一类高等哺乳动物——翼手目。只是在人们嘴里，它们有了"蝠鼠"的雅号，事实上它们生活得很幸福：在全世界范围内翼手目有900多种，在哺乳动物中仅次于啮齿目的种类数。

蝙蝠的某些古怪习性常让我们疑惑不解，比如它一天到晚头朝下地倒挂着。我们不禁要问，那样的话血液不是都涌到脑袋里了吗？当然不会，如果照这个道理，我们的血岂不是都停在腿部了？关键在于循环系统，蝙蝠倒挂时血液循环也非常畅通。

蝙蝠不能像其他动物那样蹲坐在树枝上，因为它全身上下几乎只是由两翼构成，根本就坐不住。它的前肢除了大拇指以外都长得很长，上面像扇子一样覆盖了一层皮膜，构成了两翼，脚趾只能用于攀抓。无论坐着、站立，还是躺下对它们来说都不可能。因此岩洞、塔楼和中空的树干是最适宜它们生存的空间，能在那些地方倒挂和飞翔对它们来说就足够了。

蝙蝠飞行技艺高超，飞起来时快速、灵敏。它们还可以在空中玩杂技，时而肚皮朝下，时而肚皮朝上，突然来个转向或波浪式前进。如果你站在挂满蝙蝠的岩洞里，耳边净是它们划过空气的嗖嗖风声，可它们绝不会擦碰到我们的身体，或啪的一下撞上我们的脑袋，更不会被我们的头发"绊一跤"。有种热带蝙蝠能俯冲向水面，一把抓起鱼或青蛙。但平日里它们还是吃水果，喝花蜜，或者像德国的蝙蝠一样吃昆虫。

为什么如此灵巧的动物却让我们心生恐惧？我们在电影中见过变成吸血蝙蝠的德古拉伯爵，于是所有蝙蝠都成了吸血鬼的化身。而"吸血鬼"是真实存在的，生活在南美的吸血蝙蝠用非常诡异的方法去偷袭受害者。"吸血鬼"们的脚掌上有着非常柔软的肉垫，使它们可以轻轻地落在人或动物的身上而不被察觉。接下来它们便用剃刀一样锋利的牙齿咬进猎物的皮肤。这一步也干净利落，受害者依旧蒙在鼓里。它切开小血管贪婪地吸食，吸饱后又悄无声息地溜走。一切都神不知鬼不觉！幸好吸血蝙蝠从来不会咬大动脉。欧洲保证没有吸血蝙蝠，因为我们种了大量大蒜。

蚂蚁能跑多远？

"汉堡居二蚁，携手澳洲行。才抵阿托纳[●]，足痛已钻心。前途路漫漫，不如把家还。"诗人约阿希姆·林格尔纳茨（1883—1934）实在大大低估了蚂蚁们。在大约1200种蚂蚁中，至少有好几种喜爱环游世界，尽管它们是不受欢迎的"游客"。

让我们首先来看看最可怕的蚂蚁种群：生活在非洲的行军蚁。它们数目众多，把当地闹得鸡犬不宁。行军蚁群一旦出现，人和其他动物就要夺路而逃。因为它们能把所有东西吃光光——哪怕是一条巨大的蟒蛇，也能在转瞬之间变成一堆森森白骨。一只行军蚁虽然只有大约16毫米长，但它强健有力的口器能将人的手指都钳出血来。若1500万只这样的家伙组成浩浩荡荡的蚂蚁军团，并以每小时20米的速度铺天盖地而来，所到之处一切都会被扫荡殆尽。

行军蚁的蚁后也会随大军出发，安全地待在工蚁们用身体组成的"线团"里。而其他种类的蚂蚁在这点上完全不同：它们的蚁后通常隐藏在固定巢穴中，由工蚁侍奉。只有"她"能产下大量的卵，其中少量受精卵能孵化出新一代有翅雌蚁，它们和几只雄蚁通过婚飞建立新城邦。工蚁是由受精卵发育而成的无生殖能力的雌蚁；它们生来就是劳碌命。

蚂蚁们确实非常勤劳！比如一只切叶蚁平均每天就能扛2.5千克叶子回家。它们用这些叶子在地下储藏室里堆肥，培植菌类当食物。

两只蚂蚁若在路上不期而遇，彼此间的问候简直亲热得不得了。两对小触角碰来碰去——它们不是在热吻，而是在交流重要情报：嗨，这附近有吃的吗？但如果一只外族蚂蚁不小心误闯别人地盘，那就等着瞧吧！一般都会被"就地正法"。这些小家伙一点也不好客！它们的武器除了口器外还有向伤口喷射的蚁酸。

每只蚂蚁都绝对有资格参加奥运会。光在举重这一项上它们就能让其他选手无地自容，因为它们能举起相当于自身体重四倍的东西。在男人们嫉妒蚂蚁的超强体力之前，可别忘记一点，那就是雄蚁的大脑比雌蚁小得多。大脑袋不是为了思考，只是雌性的特征。动物世界里雌雄角色的分配有时就是这么简单。

● 阿托纳，德国汉堡市西北部区名。

49

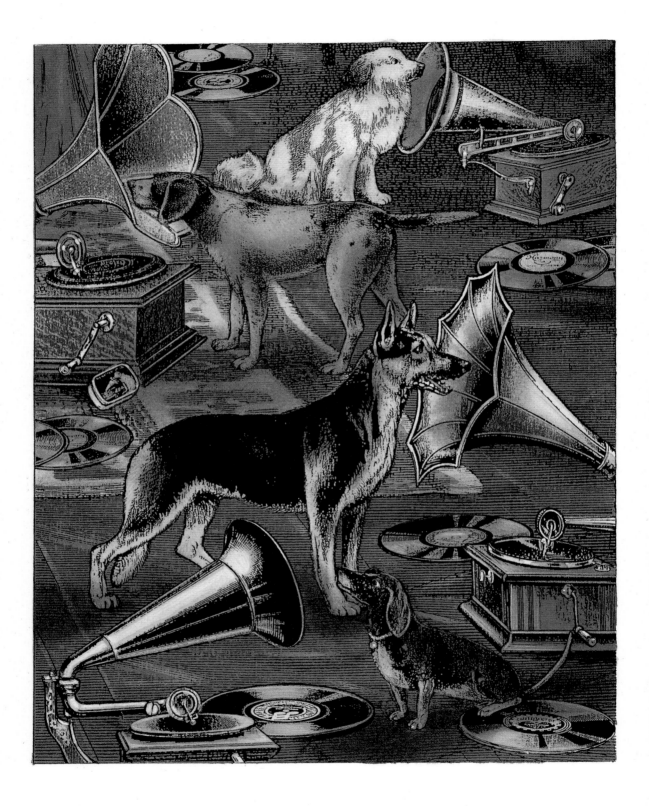

德国牧羊犬懂英语吗？

德国牧羊犬不懂英语，其实它们连德语也不懂。一只训练有素的牧羊犬知道看主人的眼色行事。主人的身体语言及语音腔调把信息传递给了它们，至于是英语还是德语无关紧要。比方说要让它乖乖蹲下，主人只用扬扬眉毛或瞪上一眼，显然就比上百遍"蹲下"的口令来得更有效。主人和宠物间沟通的方式才是关键。

如果想让一个中国人领着我的德国牧羊犬出门散步，他只用模仿我惯用的手势，小狗马上就能心领神会。可他若对小狗说中文，肯定让它丈二和尚摸不着头脑。就算最聪明的德国牧羊犬，也不可能一夜之间就学会用筷子。

德国鹦鹉不费吹灰之力就能学会中文。它们拥有极高的天赋，能够模仿世界上任何一个角落的语言。它们简直是绝妙的声音复制机，哪怕是中国巴哥犬的叫声，鹦鹉也能学得活灵活现。

人类很难和动物们进行真正的语言交流，因为我们没有动物语言的词典和语法书。只有人猿泰山才能和丛林中的猴子们相谈甚欢——但那只是童话而已。美国有个自称为科学家的女人声称能和母猩猩吉吉交谈。她说，吉吉用猩猩世界的语言饶有趣味地给她讲述了许多关于死亡及天堂的故事，而她则用哑语回答。可惜其他模仿她的研究者们却一无所获，可见这种所谓的交流实际是建立在幻想的基础上的。人们虽然可以解释它们某些特定的声音和动作，但不可能真的学会猩猩语。这两个世界间的差别实在太大了。

但人们却能通过模仿动物的语言来诱骗它们。猎人模仿黑琴鸡或松鸡的求偶叫声，能让它们自投罗网。马鹿也很容易上当：它若听到模拟出来的鹿鸣，便怒气冲冲跳将出来，准备给来犯的家伙还以颜色，结果却正好撞在猎人们的枪口上。

所以，想惹毛德国牧羊犬很容易，你只用学一声凄厉的猫叫——"喵呜"。不信咱们打个赌，它百分之百会一跃而起。倘若它只是漠不关心地挑了挑眉毛，那只能说明一个问题——模仿者的表演实在太拙劣了。

青蛙是如何当上气象员的？

毫无疑问，没有一只青蛙学过气象学！但青蛙们对天气的敏锐感觉可谓是天赋异禀，注定能胜任气象员的工作。

水陆两栖的青蛙是变温动物。它们的体温在水下会降至和水温相同，一旦太阳出来，它们便游出水面开始享受日光浴。青蛙喜欢一连几个小时懒洋洋地趴在石头或睡莲上，充分吸收阳光的热量。风和日丽对青蛙来说还有一大好处：空中飞舞着各种各样的小昆虫，那简直是美妙的开胃餐。所以，它一旦发现雨过天晴，就会迫不及待地跳到叶片上纹丝不动，出其不意地将猎物卷入口中。

当人们了解了青蛙这一习性后，将它们养在玻璃瓶中当活气压计。青蛙顺着小梯向上爬就意味着天气要变好，它们要上去捉虫了。可时过境迁，自从打开电视就能看天气预报后，青蛙气象员们也丢了饭碗。

其他动物们没法看电视，却也需要天气预报，于是它们把这项任务交给自己的鼻子。生活在山区的马鹿和岩羚羊能比当地人更早"嗅"出下雪的信号。在大雪封山，食物全被覆盖前，它们早已迁徙到了海拔较低的山坡，继续享用美味的青草。

摩洛哥和突尼斯沙漠地区的羚羊能嗅到40公里以外的"雨味"！通过观察，人们发现：为了能在降雨区吃上鲜嫩的草料，它们常常翻过600米高的山脊。吃饱喝足后才慢悠悠地沿原路返回。在干旱的撒哈拉沙漠上，对天气变化的敏锐直觉无疑是生存所必需的。因此图阿雷格人非常信赖他们的单峰骆驼，靠其敏锐的鼻子来寻找水洼或沙漠中的绿洲。

和我们人类一样，动物们也为"气候过敏症"烦恼。每当天气变化时，一匹关节受过伤的马就可能旧病复发，走起路来一瘸一拐。可动物们显然从不因焚风 ❤ 而头痛。至少在焚风气候中，慕尼黑动物园的动物们对阿司匹林的需求量从未上升。另一方面，动物们还能感觉到即将到来的暴风雨或地震。猫就从来不在地下含水层上睡懒觉。

❤ 焚风，空气绝热下沉时，因温度升高、湿度降低而形成的一种干热风。——编者注

蚊子难道永远吃不饱吗？

我们非常喜爱小动物，但总有些生物让我们痛恨不已：每当听到蚊子在耳边嗡嗡作响，第一个念头就是要消灭它——完全是出于正当防卫。我们绝非只是吝惜那点血，因为有时候我们自己都会去献血。如果它肯就此打住，那一小口对我们来说也算不了什么。可事实并非如此，它对我们的血管依依不舍，留下一个又一个令人发痒的包。它贪婪地吸血，好像从不满足。

其实我们身上的多处叮痕绝不是一只蚊子的"杰作"，而是它的伙伴们不断加入造成的结果。仅一只蚊子是不能如此频繁地出击的，否则它早就撑爆了。从每一次吮吸中，母蚊子——也只有母蚊子才会叮人——总是要吸掉2到10毫克血液，这已是它体重的3倍！它嗜血的欲望会暂时得到满足。母蚊子吸血不是因为口渴，而是在产卵期需要哺乳动物或鸟类的血来提供营养。一次吮吸往往无法满足需要，这也就带来了更糟糕的结果：它们要不停地从一个猎物飞到下一个猎物身上吸血，同时传播诸如疟疾这种危险、常见且死亡率极高的传染病。

我们常常惊讶于该死的蚊子竟有着如此敏锐的感觉。哪怕我们只露个小脚趾在被子外面，它们也能在黑暗中准确无误地找到——这得益于它们处心积虑"研制"出的一套定位系统。蚊子根据温度来确定方位，也就是说，它们总是向着更暖和的地方飞。为什么它们没拿暖气片当目标呢？这是因为它们还有一套辅助定位系统，即能感觉到人或哺乳动物在空气中呼出的二氧化碳。另外，它还能闻出汗液里所含的丁酸——而我们最多也就只能闻出旁边人的脚臭。

正因为它们通晓生化知识，所以绝不会认错目标——除非被我们弄得晕头转向。只要在皮肤上涂上几滴天竺葵油或花露水便能改变体味，蚊子就会一无所知地从我们身旁飞过。一旦蚊子找到猎物，就把细小的针刺式口器插进动物皮下的毛细血管。光这么刺一下倒不会让人有什么感觉，但它们的"唾液"里还有其他防止血液凝固的物质，以免堵塞它们仅有几微米细的"针头"。这种物质会让人体释放组胺，这就是让我们瘙痒难忍的罪魁祸首。好在蚊子在这个世界上还有众多克星：蜘蛛、鸟类、蜻蜓、蝙蝠和鱼。这就叫恶有恶报！

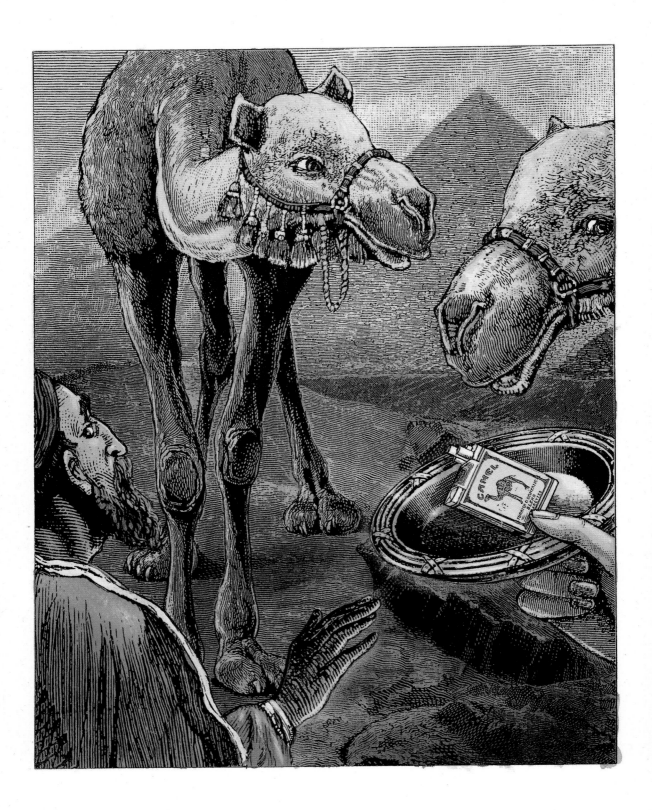

骆驼抽烟吗？

没有任何统计调查表明，骆驼死于肺癌的比例超出了平均值。由此可以得出结论：它们中大部分并没有享用骆驼牌香烟或者其他含尼古丁的玩意儿。

所以骆驼牌香烟包装上的那只骆驼根本就没有代表性。再说了，烟盒上画的不是我们常说的骆驼，即双峰驼，而是单峰驼！双峰驼和单峰驼的区别在于，双峰驼有两个驼峰，而单峰驼，顾名思义只有一个。难道是包装设计者犯糊涂了？其实不然，因为比起双峰驼来说，单峰驼和烟草的联系似乎更加密切。烟草的重要产地——阿拉伯地区和土耳其——都是单峰驼的活动范围，它是属于非洲和小亚细亚的热带沙漠动物。

双峰驼则习惯在温带沙漠及亚洲草原安家。由它们组成的商旅队曾一度走在从中国出发途经西域（今新疆境内）再到欧洲的丝绸之路上，图阿雷格人的单峰驼则主要在撒哈拉沙漠完成运送盐的任务。

有一个或是两个驼峰其实并不重要，关键是驼峰里到底装了些什么！驼峰可不是钟楼怪人卡西莫多身上丑陋的驼背。单峰驼和双峰驼都用驼峰作储备仓库——就像汽车备用油箱。驼峰里贮存着大量脂肪，它们能给骆驼在艰苦的沙漠跋涉中提供能量。同时因为脂肪燃烧产生水，还能间接供给身体水分。所以这种动物居然能坚持长达30天滴水不进！因此它们成为人类非常实用的驮兽。

当然储备也有被消耗一空的时候，驼峰便像瘪瘪的土豆口袋一样耷拉下来。接着，双峰驼和单峰驼必须找机会大吃特吃。

另外，它们一点都不挑食，哪怕路上碰到的空水泥袋子也能被它们吧唧吧唧吃下肚去。简直太妙了，这意味着连空袋子都能废物利用，成为它们的饲料。和反刍动物一样，在骆驼的前胃里有微生物，能够将纤维素分解并转化为糖。所以，作为反刍动物的山羊们也不看报，反而喜欢把报纸吃掉。这下子我们的精神食粮也的确填饱了山羊们的肚子。

假如我们出于礼貌向骆驼敬一支烟，它可真会大大方方地收下哦。至于它会不会抽烟这点很值得怀疑。骆驼更有可能只是把驼牌烟美滋滋地嚼烂后咽下去——连空烟盒一起味道更棒。千万别把满满一盒烟都喂给骆驼，这会让它恶心难受，就像我们第一次抽烟时一样。

动物都有好水性吗?

至少水鼠名副其实,因为它们整天待在水里玩耍,也不会像我们一样冻得嘴唇发紫。水鼠经常长途跋涉,游过路上所有的小溪及河流,因此又被称为"旅鼠"。而且它们住的地方也不能离水太远,所以又叫"下水道老鼠"。这是因为有水的地方就会有生命,在水边总能找到大量食物,也就适宜它们定居——也正是这种老鼠在几百年前传播过黑死病,给当时的人们带来了极大灾难。

几乎所有动物都能轻松完成自由泳。但有些更喜欢水,有些则不然。比如大象和老虎都是真正的游泳好手,而猫科动物中绝大部分则正好相反。宠物猫就被怀疑有恐水症,事实也的确如此,没有比打湿脚掌让它们更厌恶的事情了。所以它们往往能和花园池塘里的金鱼和平共处。如果我们把小猫扔进水里,可怜的猫咪肯定会被淹死——仅仅因为惊吓过度就能让它一命呜呼。一只成年猫会拼命地划动四肢,挣扎着向岸边靠拢——就算逃过此劫,它的整个后半辈子都会心有余悸!

一向趾高气扬的狮子在水流面前也不得不矮了几分,也许是担心弄乱辛苦打理的新潮发型。狮子和家猫以及沙漠猫连对简简单单的淋浴都畏惧三分,它们的近亲却丝毫也不在乎洗个舒舒服服的泡泡浴——老虎和美洲豹都喜欢戏水,亚洲的渔猫和扁头豹猫甚至以吃鱼为生。

那小狗在人工湖里的表现如何呢? 根本不用担心,它很乖,不会在里面撒尿拉屎。主人如果想和小狗一起去游泳完全不用有什么顾虑,谁都不必感到恶心。

即使是水性最好的陆生哺乳动物也游不过鱼和水生哺乳动物。剑鱼以每小时80或90公里的高速成为鱼类中的游泳冠军。抹香鲸则以绝对优势荣膺最佳潜水员:它甚至能潜到千米以下的海底。

人类为海洋动物们超乎寻常的泳技所折服,我们总梦想能骑在海豚背上去遨游大海。从它们的力量、智力和灵巧度上来说,这一点似乎可行。然而直到现在,人们还是只听说过海豚们救护受伤同类的故事,所有其他传说则源于海员们的丰富想象。

蛇有尾巴吗?

有人认为整条蛇本身就是一条长尾巴,其实不然。和其他的动物一样,蛇也是由不同的身体部分组成,尾巴自然也包括在其中。只不过人们很难分辨清楚,它的尾巴到底是哪一段。

这都是因为蛇的体型特殊。蛇由蜥蜴演变而成,它的脚在长期自然选择的过程中逐渐退化,只剩下光溜溜的身子。

但它还是保留了尾巴,而且我们也能很明确地指出蛇尾巴的起始位置:在肛门,也就是蛇所谓的"泄殖孔"之后。这样一来,尾巴几乎能占到蛇身长的四分之一。对于不同种类的蛇来说,它们尾巴的功能不尽相同。居住在树上的蛇能借助尾巴牢牢攀住树枝——比如东南亚的毒蛇竹叶青。

如果我们能分辨出蛇的尾巴,便可以大致判断其危险性。据一般经验:蛇身相对短而粗,且尾巴也短的可能是毒蛇,比如蝰蛇。身子和尾巴都较长的蛇往往无毒。这种判断标准尽管符合大多数情况,但对于非专业人士来说似乎用处不大。因为普通人但凡看到蛇早就吓得魂飞魄散,哪里还顾得上去仔细辨识它的尾巴。

蛇并非只由尾巴构成,它不会出现和蚯蚓一样的情况,即蛇被分成两截后也不会变成两条蛇。蛇不能再生,因为它们的身体结构比蚯蚓复杂得多。蛇更不会像蜥蜴一样遇到危险就自断其尾,后者常留下活蹦乱跳的尾巴去吸引天敌,自己保住小命后再找地方静养疗伤。

蛇不像狗一样善于摇尾巴,它舌头的吞吐反而要灵活得多。吐舌头并非出于友好,这是它们的嗅觉方式。蛇能通过快速的舌尖运动捕捉到空气中的气味分子,再送到口腔顶部的犁鼻器❷中分析检测,最后把气味信息报告给大脑,以确定这种气味是否来自猎物。

汽车常常在马路上排起长蛇阵,这虽然不是一条毒"蛇",但却毒害了我们的空气。

我们不提倡养宠物蛇。如果孩子们实在喜欢,不妨买条玩具蛇来代替好了。

---

❷ 犁鼻器,一种辅助嗅觉的感觉器官。

土拨鼠有嗜睡症吗?

说土拨鼠有嗜睡症绝非夸大其词,整整一个星期,甚至一个月它都能蜷在窝里呼呼大睡。我们可以毫不犹豫地断定,这家伙有半辈子,甚至更长时间都在美梦中度过。它们贪睡并不是出于嗜睡症,而是因为寒冷的气候让它们从10月底就进入冬眠,直到来年4月中旬或5月初。

要想安安稳稳睡过一整个冬天,首先要睡得健康,其次要专业化地处理好相关事宜。要是美梦被饿得咕咕叫的肚子打断的话,一定会让它们感到非常懊恼。为了避免这种令人郁闷的事情发生,土拨鼠在夏天勤勤恳恳,四处觅食。为了增肥大吃特吃,直到身上贮存了足够整个冬天消耗的能量和脂肪。

到了秋天,土拨鼠对这种忙忙碌碌的生活受够了。它们便全家老小移居地下,钻进为了防冻而建在地下4~6米深处的洞穴里。这种巢穴里往往有多个小房间,彼此间有过道连通。它们在里面垫上草便舒舒服服地进入梦乡。土拨鼠整个冬天都不再进食,这点和小松鼠们不一样。松鼠们其实睡得一点也不踏实,常睡到一半爬起来去找埋藏好的坚果和种子吃。土拨鼠在冬眠之前则要清空肠胃,然后开始进行彻底的断食疗法,直到第二年开春。它们身体的各项消耗值都降到最低,体温也降到3℃~4℃,看上去真跟死了没两样——仅靠消耗夏天积攒下来的厚厚脂肪来度过漫长冬日。

尽管如此,土拨鼠在冬眠期每隔三个星期还是会醒来一次——它要上厕所。既然新陈代谢还在进行,就必须时不时排出废料,不然膀胱可要胀破了。有位科学家在冬眠的土拨鼠身上安装了探针,才终于发现土拨鼠的小秘密。科学家通过观测它们的心跳频率和体温发现,每隔15天,一窝中最老最重的土拨鼠体温会在短短几分钟从3℃回升到36℃。而紧挨着的其他土拨鼠显然也对温度变化有所觉察,它们也跟着醒了过来。然后大家集体到隔壁房间上厕所,方便回来后便气定神闲,可以继续倒头大睡直到下一次膀胱告急。

我们多少都会有些羡慕土拨鼠用来抵御严冬的脂肪层。在阿尔卑斯山地区有一种土拨鼠油正是针对关节炎及扭伤的良药。

鳄鱼会流眼泪吗？

谁说眼泪不会骗人！鳄鱼的眼泪就完全是虚情假意的表现。它不过是为自己刚刚又吞下去一个生命而惺惺作态。

为了给所谓阴险伪善的鳄鱼正名，我们不得不说清楚，鳄鱼"挤出"眼泪另有原因，这和对鳄鱼来说意义重大的泪腺有关。由于鳄鱼经常生活在咸水或咸淡混合水中，大量的盐也随水进入它们体内。因此它们总要想点法子将多余的盐分排出去，而泪腺最终完成了这一任务。和海鸟类似，鳄鱼的这个腺体也能将水中的盐分浓缩，成为"鳄鱼的眼泪"通过导泪管流出体外。

当鳄鱼捕获到猎物，它的血盆大口能产生数吨的压力以咬碎它们，这反过来压迫了鳄鱼的泪腺。于是，我们看到"眼泪"汩汩而出，享用美餐的鳄鱼仿佛正在哀悼猎物。

鳄鱼既非多愁善感，亦谈不上伤心欲绝，哪怕它已是泪流满面。理由很简单：这些泪水完全来自生理反应，和情感没有一丝一毫的关联。

这和我们人类有着多大的区别啊！我们有千万个伤心的理由，常常泪水涟涟：比如一不小心切伤手指啦，刚看完一部缠绵悱恻的爱情悲剧啦，心里难受时眼泪都会情不自禁地流出来，甚至还会被笑话逗得笑出眼泪。而尽管马、牛、猫和狗的泪腺已经相当发达，但它们对这些都无动于衷。

我们切洋葱或小飞虫飞进眼睛里时也会流泪。动物们的泪腺正是为应付这些情况而生：当有异物落入眼睛，泪水便能将它们冲洗出去。人类和动物们也不用动不动就哭，因为我们都能通过眨眼来保持眼睛的湿润，整个构造非常科学实用。

当然有些动物根本就没有泪腺，例如沙虎，一种专吃昆虫的小蜥蜴。它们主要生活在撒哈拉沙漠。那它们如何保持眼睛的湿润和清洁呢？很简单，它们用舌头舔。幸好咱们没必要这么做，何况我们的舌头也绝对不够长。

虽然动物们不会哭，但它们也有伤心事。假如小狗发现主人竟然没带着它一块儿遛弯，就会发出呜呜咽咽的啜泣声，只是不掉眼泪罢了。

袋鼠的育儿袋能当购物袋吗？

袋鼠的育儿袋太适合用来购物了——比任何塑料袋都好用。首先，不会出现提手断掉的情况；其次，袋子够大，弹性好且绝对清洁——因为袋鼠妈妈经常把它舔得干干净净——甚至可开可关。如果没有幼兽蜷在里面，袋子靠前的一面会紧紧贴着妈妈的肚皮，所以袋里既不会落灰，也不会被雨水淋湿。它的功能其实类似尼龙搭扣。如果没有怀揣小袋鼠，育儿袋看上去就好像不存在一样，可见袋鼠妈妈们也从未带着这个实用的袋子一蹦一跳去购物。

不难理解小袋鼠为什么喜欢一直待在妈妈的口袋里，因为天底下再也没有比那儿更舒服的地方！育儿袋的内壁平滑无毛且非常柔软，尽管并不潮湿，却始终保持着适宜的湿度。这种环境有点像我们的腋下，还没有汗臭味。母袋鼠的体温能保证育儿袋里始终温暖，里面简直就是安乐窝。难怪被宠坏了的袋鼠宝宝总要赖够230天，到最后才不得不蹦向广阔天地。小家伙从180天起就开始对外面的世界跃跃欲试，可只要有点风吹草动，它们马上哧溜钻回妈妈的口袋。

人们一开始并没有发现袋鼠妈妈可以同时有几个宝宝，这是它们煞费苦心研究出来的繁殖策略。一旦幼兽可以偶尔离开育儿袋出去玩耍，袋鼠妈妈就再生一胎更小的，大约1厘米长的微型宝宝。它能从生殖口顺着妈妈在皮毛上舔出来的一条小道艰难地爬进育儿袋里。小家伙会牢牢地衔住口袋里的奶头。可它那时还没有发育出肌肉，无法吮吸奶头。不过别担心，袋鼠妈妈奶头上的肌肉会自动收缩，挤出奶汁来喂养小宝宝。如果它的哥哥或姐姐此时也钻回育儿袋叼住其他奶头吃奶，这场景看起来就温馨极了。袋鼠妈妈甚至能为不同生长阶段的宝宝配制营养成分不同的奶水——育儿袋简直变成了一个井然有序的小托儿所。

当这两个幼崽还在育儿袋里不断生长发育时，妈妈的子宫里又开始孕育下一个小生命了。在大自然的精心安排下，袋鼠们和其他大型哺乳动物相比从来就不为哺育后代的问题伤脑筋。一旦幼崽因为干旱缺水夭折，新的胚胎就早早做好准备，只等到气候条件转好便可以来到这个世界上。自然界中恐怕也只有袋鼠们才能自主选择生儿育女的时机。

小牛也长乳牙吗？

不管人还是动物，只要是奶娃儿就要长奶牙。和其他哺乳动物一样，牛在成长过程中也有一次换牙经历，不过只换门牙和前槽牙，后槽牙则要伴随牛儿一生。准确地说，牛在上腭长的根本就不是乳牙，而是布满了凸起的坚硬的珐琅质咀嚼面，这可是让牙医们都夸赞不已的一口好牙。我们都知道牛会将草料放在嘴里一遍又一遍地咀嚼，因此和人类相比，它们对牙齿的要求要高得多。我们最多不过嚼口香糖时才会如此反反复复。

这也正是牛的寿命只有人类一半的原因。对哺乳动物来说，牙齿是决定寿命长短的一个重要因素。当它们第二套牙齿都磨得差不多的时候，就连牙医也爱莫能助。只有人或者一两只美国名犬才有可能装上第三套牙齿——假牙。谁要有个牛胃，也会成天对着那绿油油的青草垂涎三尺，但这些绿色食品并不总是有益健康的。长时间咀嚼富含硅酸盐的草类会让牛的牙齿一天不如一天，终有一日它将再也无法嚼碎食物。假如没有人用胃管直接把食物送到它胃里，它只能活活饿死。

在大自然里，没牙的狮子威力等于笼中虎。倘若它没法撕咬，就只能眼睁睁看着嘴边的肥羊溜掉。年迈的狮子也得不到同类的照料，它们不可能把食物预先嚼好后喂给老前辈。

如果人们想知道动物的年龄，没有比看牙口更好的方法。马贩子在买马前都会看看牙槽。如果是小马，它门牙上会留着色素聚集，即所谓的"黑窝"。这些深色的印迹会随着马的年龄增大而逐渐减少，当马长到大约8岁时它们最终会完全消失。所以，假如一个马贩子想将一匹老马以好价钱脱手，他可能会用一种古老的骗术来作弊：用烧红的烙铁在马齿上烙出人造"黑窝"。这种奸商直到现在还没有绝迹，今天他们做的是卖旧车前先把里程表往回调很多很多。

要是对别人赠送的马都去看牙口是非常不礼貌的行为，正如收到礼物后立马看价格标签。这些事情至少应该等到送礼人告辞了以后再做。

猎獾犬是狗中的侏儒吗?

猎獾犬（又称为腊肠犬）其实是披着狗皮的狼。无论体型庞大还是小巧的狗都有着共同的祖先——狼，可不是什么狐狸或豺。为什么它们和狼有着如此大区别？这可都是人类的杰作。经过长期驯养和育种，猎獾犬才有了今天腊肠般的样子。

正是人们不断让体型较小的狗之间进行交配，才最终得到这种肚皮几乎贴到地板的短腿猎犬，长得就像欧宝公司的曼塔牌轿车一样袖珍可爱。

猎獾犬用短得可怜的小腿跑起来其实很别扭，因为它的体型并不健康，是人工选育出的畸形骨骼结构。就像长腿的牧羊犬一样，选育过度也使它们的髋关节极易受伤。尽管如此，爱狗之人还是喜欢"纯种"的。

大自然可从未想过创造出诸如猎獾犬、巴哥犬或者猎狐㹴这类的小家伙——只有人类才会冒出这些念头。人们偏爱小巧可爱的东西：矮种兔、矮种狗、小型盆景……因为它们既实用又乖巧。人们喜欢怀里抱着小狗一个劲儿地抚弄，最好连珍爱的矮种马也弄到客厅沙发上来。至于动物的感觉如何那可不关他们的事。

长期的近亲繁殖只会给动物们带来恶果，因为自然界的法则是通过杂交来获得演化优势。人们对许多动物都采取比较极端的筛选培育，实际上这也是一种"残酷养殖"，因为繁殖出来的后代不是更强壮，而是更孱弱了。例如墨西哥无毛犬和中国沙皮狗，它们都是经过长期育种后产生的有基因缺陷的遗传性过敏症患者；白色牛头㹴通常是聋子；金鱼则大多有非常凸出的鼓眼睛。马恩岛上的无尾猫也是长期选择培养的结果。这种猫失去了一部分脊柱，即便看到老鼠也没法摇尾巴了。

如果你欣赏过魔术大师齐格弗里德和罗伊的白虎秀，并仔细观察了那只著名白虎的眼睛，就不难发现，其实这位"明星演员"一点都不风光。它不仅受到斜视的困扰，还常常泪流不止；天生的免疫系统缺陷极大降低了它对各种疾病的抵抗力，而这些病症归根到底也是因为反反复复的近亲繁殖。一只印度雌白虎是迄今为止所有用于表演的白虎的"祖奶奶"。为了引起轰动效应，营造异国风情，人们不惜让动物一再畸变。这种培育实质上是虐待动物，应该有新的动物保护条款来阻止这类荒唐事的发生。

信鸽能当邮递员吗？

如果邮政局的工作人员都能像信鸽一样值得信赖那就太棒了。一只信鸽能将委托的信息百分之百准确地送到收信人手中。

可用信鸽当邮递员有两大麻烦：首先，一只信鸽只能针对一个地址，即它自己的老家，也就是它的出生地。为了找到回家的路，它们通过地形特征、太阳紫外线以及地球磁场来定位，在夜里则主要是靠星星来指明方向。

其次，它们每次只能送一封信，因为鸽子带不动超过其体重十分之一的东西。体重400克的鸽子一次最多捎带40克的东西，也就是大约一封平信或两封航空邮件。要是专靠信鸽邮递员，信件恐怕会在邮局里积压成山了。

换个角度说，信鸽邮局可比一般邮局便宜得多。耐力极好的信鸽从出发地到老家间可以不中断飞行达1000公里之远。它们不费一滴航空汽油，既清洁又环保。最多只用赏它们几粒谷子，所以完全称得上是免费投递。而且鸽子也不在乎信封上有没有贴邮票。

据最新研究表明，信鸽惊人的导航能力来自嗅觉，所以地图对它们来说完全多余。看来它们能捕捉到空气中分散的气息，甚至可以精确到一个气体分子。它们才是真正的嗅觉专家，即便是受过高级训练的警犬也相形见绌。可怜的母鸽子要是哪天对哪只公鸽子受够了，它可得飞得远远的，不仅要逃出它的视野，还得逃出它的嗅觉范围。

鳗鱼的嗅觉比鸽子还略胜一筹。它们从马尾藻海，也就是百慕大附近的藏身和孵化地出发，能一直靠着嗅觉的指引洄游4000多公里来到欧洲的海湾河流，再在那里生活8到15年，吃得肥肥胖胖。当它们还在百慕大时，很可能就在那些据称是被神秘力量吸入海底的飞机和船只残骸里捉迷藏，现在它们又要靠着敏锐的嗅觉游回老家去养育后代，颐养天年。

尽管鳗鱼并不是酒鬼，但它对酒精的敏感程度令人咋舌，即便将1毫升酒精滴入相当于58个博登湖的水量的水里也逃不过它的嗅觉！所以小心了，也许下次交通警察进行酒精测试，掏出的不是一个吹管，而是一条活生生的鳗鱼！

动物必须刷牙吗？

动物们可太舒服了，连牙都不用自己刷，而是请人打理。比如鳄鱼就不需要电动牙刷，反正它有"活牙刷"——鸻鸟。这种小鸟经常钻进鳄鱼不断换牙的大嘴里，从巨大的"绞肉机"中将食物残渣剔除掉。我们不禁要问，这小家伙吃了豹子胆了，居然毫不畏惧地自己送上门来。其实，鳄鱼此刻很清醒：现在万万不能合上嘴，不然牙医就再也不肯登门服务了。

海洋里也有许多能干的牙科医生。大鱼们让小藻虾为它们清洁鱼鳃及身体表面。裂唇鱼能游进鲨鱼和石斑鱼的嘴里，将它们的口腔清理得一干二净。正因为海洋里实在难以搞到假牙和填料这类东西，大自然才不得不选择了这种方式。

丛林里的居民一样也没有牙刷牙膏，但这对它们来说并无大碍。比如狮子的牙就设计得非常特殊，牙与牙之间的间隙大得食物根本不可能塞住牙缝。再说狮子对猎物也没有耐心细嚼慢咽，往往一大块一大块直接吞下去，就更不可能留下食物残渣了。狮子和老虎即使不吃棒棒糖也会得

牙石，如果它们没有及时去看牙医，牙齿就可能烂掉并且脱落，这将带来极其不幸的后果：失去犬齿的老虎无法捕捉惯常的猎物，它开始把目光转向更易下手的人类。十年来在印度和孟加拉国有250多人被饥饿的老虎咬死，这仅仅是因为它们的牙不好使了！

好在就算我们的狗的牙齿出了问题，后果也不至于很严重，大不了它们的口气会变得非常难闻。在这点上主人有着无法推卸的责任。因为他总是拿已经加工好的食物喂猫猫狗狗，狗基本不用咀嚼就能将食物吃下去。日积月累，缺乏适当的咀嚼压力会导致牙龈血液流通不畅，牙上生出牙石——正如我们长期不刷牙也会生牙石一样。接着细菌开始滋生并引起牙痛，我们的宠物也患上了龋齿。所以，我们要么喂它们需要用力咀嚼的食物，要么定期带它们去除牙石，才能让它们拥有一口健康的好牙。

蜗牛能搬家吗？

蜗牛是特别恋家的动物。它们简直恋家到了极点，终其一生都背着同一所房子，这样一成不变的蜗居生活可以持续18年之久。

蜗牛从不搬家，这是指它从不搬进其他什么地方。它在出生之际就有了属于自己的房子。当春天小蜗牛刚从卵中孵化出来，它已经背负着一个薄薄的、透明的小房子了。随着钙质不断沉积，蜗牛的壳越来越坚硬，颜色也越来越漂亮。到了最后，蜗牛终于能背着一幢富丽堂皇的居所去四处炫耀。而且它既不需要装修扩充，也不需要找寻更大的屋子，这间房子能随着它一起长大，让它始终拥有足够的居住空间。

不过这种蜗居生活着实也有点无聊，它一年最多只能接待一次访客：在春天的交配期。蜗牛虽然是雌雄同体，即理论上它可以自体受精产卵。但一般来说，和其他同类交换一下基因将更有益于物种繁衍。雌雄同体的蜗牛也很清楚这点，所以它们更愿意和其他蜗牛一起完成交配。

另外，蜗牛们也从不会彼此艳羡对方的房子，只有人类才会看出蜗牛壳之间的区别。

人们发现按照蜗牛壳螺旋生长的方向，可以将其分为"左旋壳"和"右旋壳"，而"左旋壳"因其稀少，能在蜗牛市场卖个好价钱而受到人们偏爱。尽管人们热衷于给有着"左旋壳"的蜗牛冠以"蜗牛王"的美名，但蜗牛们显得宠辱不惊。它们的生活一切照旧，仍在那里一丝不苟地用黏液爬出一条自己的路。

既然蜗牛们从不轻易离家，那为什么我们经常能找到空蜗牛壳呢？如果了解了个中缘由只会徒添感伤：一个空空如也的蜗牛壳无非昭示着曾经的住户已经离世！

我们也常看到许多无壳蜗牛（蛞蝓）四处爬行。它们浑身黏糊糊，又没有可爱的小房子，这样的外表看了叫人恶心。没准它们该登个寻房启事？——它们才不这样想呢！

无壳蜗牛压根儿就不需要小房子来居住或遮丑。因为这样一来正好，不光咱们看它觉着恶心，就连天敌狐狸和刺猬看着也倒足了胃口。事实上这种用来代替小房子的浓稠黏液确实有非常出色的保护功能，另外，它还能杀灭细菌。

有一种说法，月圆之夜到墓园的墙边去找一只黑蜗牛，并让它从疣子上爬过，疣子就有可能不治而愈。谁要是不相信，尽管去试试好了！

为什么白鹳会叼来婴儿？

除了白鹳还有谁能叼婴儿呢？ ❂ 鹰的爪子和嘴都实在太尖利，它肯定会抓伤婴儿幼嫩的肌肤。除此外，它们还忙着到国徽上去亮相呢。

乌鸦肯定也无法胜任。即便在飞翔时，它的嘴也会叽叽呱呱说个不停，保证半路上就会不小心把孩子摔下来。何况我们早就在《拉封丹寓言》里读过，当年它就是因为喋喋不休，才让狡猾的狐狸骗走了口中美味的干酪。

现在候选人中只剩下体重达4千克、两翼张开宽达2米的白鹳先生了，只有它有足够的气力来完成这项责任重大的工作。

可婴儿到底是从哪里来的呢？尽管我们做了大量深入细致的调查研究，却始终没能解开这个谜底。有人宣称，婴儿是从天堂睡莲湖——一个地图上压根儿找不到的地方叼来的。在法国，人们则认为这些婴儿是从田里的卷心菜中长出来的——也是一个不错的设想！既然这样，美国人把德国人叫作"酸菜" ❂ 就有些令人纳闷了。

不管婴儿到底来自哪里，反正对白鹳来说距离不是问题。毕竟它们每年都要飞越博斯普鲁斯海峡（伊斯坦布尔海峡）或直布罗陀海峡前往非洲过冬，有些甚至一直飞到南非！也难怪它们冬季度假回来时会叼来特别漂亮的黑娃娃了。

白鹳绝对不是色盲，它甚至能看到紫外线，这能帮助它进行飞行定位，否则没有地图想从非洲找到回家的路可是难上加难。但今天的白鹳们已经不像从前那样热爱旅游了。既然这里的人们给白鹳提供了良好食宿，它们也乐得在此过冬。美妙的生活就在眼前，又何必舍近求远？在暖冬，白鹳省下差旅费，变成留鸟待在故乡。

既然白鹳父母们正为人类的孩子们忙得不亦乐乎，那又是谁帮它们把小白鹳放到窝里去的呢？它们还是得亲力亲为，因为忠贞不渝的白鹳夫妇要时刻提防着窝里被偷偷塞上一只黑鹳。居住在教堂尖塔上的高雅的白鹳可不愿意和这种黑乎乎、生活在丛林里的奇特鹳类沾亲带故。高贵清白的家世可得代代相传。

❂ 在西方一些国家的传说中，降生的婴儿是白鹳叼来的。——编者注
❂ 因为德国人非常爱吃酸菜，因此二战中的美军便给德国人取了个"酸菜"的绰号。

为什么乌龟很早就开始长皱纹？

即使乌龟坚持使用护肤品，它们看起来还是如此苍老。谁叫它们的皱纹是天生的呢？尽管皱纹搁它们身上并不是衰老的迹象。

早在1.3亿年前的白垩纪，乌龟就已经是今天的这副模样：嘴里无牙，脖子和脚上布满皱纹。其实这只是它们给人的表面印象，乌龟厚厚铠甲下的皮肤既柔软又光滑，只有在四肢、脖子等需要活动的地方才有纵横纹路，这些纹路对于乌龟来说非常有用。乌龟也用不着长牙齿，反正它们有棱角锋利的角质喙。

虽然乌龟行动迟缓，但终究一样会衰老。动物们比咱们也好不了多少：它们也会长出白发。老马总是瘦骨嶙峋，鬃毛也变得干枯易断。猫、狗和鸟儿们上了年纪还可能患上白内障。动物们甚至还和我们一样有身材走样的困扰：年龄一大它们也逐渐发福。和人类一样，这些衰老的迹象都源于新陈代谢减慢。废物滞留在体内，消耗不掉的营养物质会转化为脂肪层堆积起来。

好在人类的衰老过程持续的时间更长。

狗要是过了10岁生日，就算得上是年逾花甲。所以一旦看出它有长小肚子的倾向，主人就应该适当减少喂食量。要不然哪天它的心脏不堪重负，这只肥胖的巴哥犬就会出现血液循环障碍的问题。

刚出生的小狗娃鼻子周围如果有灰白色的毛，这可和年龄无关，而是遗传的影响。比如它爸爸很可能是只浑身白毛的家伙，到它身上就只剩下鼻尖那点儿。

基因决定了所有北极熊的皮毛都是白色的。它们的毛发不可能随着年龄增长变得更白，但总有泄露年龄的其他标志，比如说眼睛，北极熊通常会因年老而失明。另外，它的身形和动作也会较年轻时有所不同。人们隔着老远通过它们行动的方式就能分辨出，那到底是头年轻矫健还是头年迈迟钝的熊。对北极熊来说，40岁才算老。大象活到50岁才算进入古稀之年，它们能一直活到60~65岁。黑猩猩的预期寿命大约也是50岁。

只有少数动物能活得比人还久，比如乌龟。它们能活150年甚至更久，鹦鹉和鹰能活到80岁，渡鸦能活上百岁，鲤鱼也能活上一个世纪——如果它没成为"红烧鲤鱼"的话。

岩羚羊剃须吗？

不管干式还是湿式剃须法对岩羚羊来说都无所谓，反正大自然都已经帮它把什么都弄好了。它也不用每天早上都站到镜子前：一年剃一次也就足够了。反正春季换毛时它的"胡须"都要掉光，然后从"胡子茬"那儿再重新长出神气的毛发来——其实这根本就不能称为胡子，而是背上的鬃毛，这和山羊下巴上的胡子完全不同。

和人类胸毛一样，岩羚羊后背上的毛也是雄性的象征。岩羚羊的毛或鬃毛长得越浓密茂盛，它给同类们留下的印象就越深刻。岩羚羊还能通过特殊的皮下肌肉组织让全身的毛都竖起来，使自己看起来几乎是原体型的两倍大，这可是它们在求偶期最拿手的伎俩。当两只公羚同时爱上了一只母羚，它们先绕着圈子并用充满威胁的目光打量对方，抖擞起全身毛发，于是一场激烈的角斗拉开序幕。毛发竖起后它们的整个身体轮廓变大，看起来更加威风凛凛。正因如此，岩羚羊们绝对没有动过刮毛的念头！它们总是在极不情愿的情况

下被人们强制刮去毛发，以作为帽子上的装饰品——巴伐利亚岩羚羊须，这个战利品只属于捕获它的猎人。正宗的岩羚羊须看上去绝不能像一把整齐的剃须刷。在制作中，要把毛发缠在一根竖直短杆的顶部，再让它们如伞状蓬松地垂落下来。这才是真正的巴伐利亚岩羚羊须。

市面上许多所谓正宗的巴伐利亚岩羚羊须其实取自喜马拉雅的野山羊。这种野山羊的鬃毛更长，而且一旦经过巧妙的染色加工，看起来和岩羚羊毛相差无几。但假的毕竟真不了，如果想要名贵的岩羚羊毛真品还是得多花些银子。

虽然雌性岩羚羊的背上只有少许绒毛，但雌性海象和海豹却和它们的丈夫一样，留着一撇小胡子。也许它们认为这样很时尚。其实因为这是它们身上唯一间接和神经系统相连的毛发，所以生长在口鼻附近非常有用，能被它们作为额外的触觉器官。借助小胡子，海豹们在漆黑一片的水底也能感觉到鱼的方位；海象则能准确地从淤泥里挖出贝壳，而不是石头。

动物中雌性也时兴留胡子，正如岩羚羊须在阿尔卑斯人的帽子上永远风光一样。

黑羊算另类吗？

只有人类才把黑羊 ● 贴上另类的标签。羊儿们自己对这种好人坏人的定义一无所知。它们才不计较一群羊里是不是有谁格外与众不同。羊始终是羊，只要它的皮毛、尾巴和叫声不像牧羊犬或狼即可。

绵羊在我们人类眼里是温顺善良的代名词，这就是为什么可恶的大灰狼想要吃我们的时候，会披张羊皮的原因。而雪白的羊更被我们看作纯洁的象征。白羊其实纯粹是我们人类的发明创造，自然界里原本只有黑羊，白羊的出现完全是特例。但人们对纯白的羊毛爱不释手，于是让少数浅色皮毛的羊反复交配繁殖，直到最后培育出纯白的羊群。

现在的白绵羊身上偶尔还会出现一块从祖辈那里遗传下来的黑色印记。这样的色斑对于生活在热带的羊来说不可或缺，它能使羊免于日光灼伤。因为纯白的羊体内缺乏一种重要基因，使羊无法分解通过食物得到的某种化学物质。这种感光的化学物质一旦积存在皮肤下，就很容易导致羊被烈日灼伤——这无疑给生活在极热地带的动物判了死刑。所以在热带，纯白的羊才是真正的另类。

大自然在制定颜色规则前都经过了一番深思熟虑。比如，桦尺蛾原本是白底灰点，这套花纹可以让它在桦树皮上安枕无忧。鸟儿即使擦肩而过，也未必能识破这身无比巧妙的伪装。但随着工业发展，烟尘废气被不断排放到大气中，工业区附近的桦树皮仿佛一夜之间全部变黑，深色树皮上浅色的桦尺蛾一下子就变得格外显眼。鸟儿们趁机大饱口福，最后只剩寥寥几只因基因突变而成为深色的桦尺蛾因祸得福，侥幸存活了下来。它们继续延续香火，但此后几乎所有的桦尺蛾都演变成了深色型。这个现象称为"工业黑化"。我们这些邋遢的人类又一次无意中充当了导致物种选择及淘汰的推手。

谁家都免不了冒出一两只另类"黑羊"：例如在乌鸦或麻雀当中，"黑羊"便是那些白色的个体。它们穿着"奇装异服"的日子其实很不好过。因为一旦偏离了大自然原本配好的颜色保护，它们总会最先被天敌发现并吃掉。无论是黑是白，反正吃起来味道都一样。

● 黑羊（black sheep）在英文中意为"害群之马"。——编者注

大象的皮真的很厚吗？

大家都能看出，虽然大象的毛不长，但它的皮很厚。而且它的皮肤非常敏感。每次兽医打针都会让它觉得深受伤害，事后还牢记在心。

在一则巧克力的广告片中，我们认识了一只受过欺负的大象：在动物园里，小男孩曾经隔着栅栏把巧克力拿到小象鼻子前反复引诱，最后还是一把抽回来自己美滋滋地吃掉了。多年以后，小象和小男孩都已经长大，并在一次马戏团游行中不期而遇。于是这只大象毫不犹豫地用长鼻子赏了这个年轻人一耳光。大象果真记忆力惊人！

早在20世纪50年代，德国动物学家就开始研究大象的记忆力。他们在一整年的时间里和大象玩一种所谓"记忆力"的游戏。大象要学会将26张单独的画片组成13对图形。结果令人咋舌：仅仅一年它就能玩得非常出色。

更让人惊讶的是，当这位动物学家事隔30年再度看望这头大象的时候，它马上就认出他来，并给予了最热烈的问候。估计它很希望能再玩玩以前那个游戏吧。

所以人们很容易和大象交朋友。只要谁对它好，它就记得清清楚楚。同样的道理，它在100米开外便能认出上次给它打针的那个家伙。正如我们所说，哪怕最细的针头也会让大象疼痛不已。

这绝不仅仅因为它心理脆弱，而是因为它们确确实实有着非常敏感的皮肤。动物园里的大象们都享受特别细致的皮肤护理。要是给一头大象抹润肤露，一次就得用上好几升呢。所以人们想出了其他办法——用高压水给它们洗澡。这可是大象的最爱，它厚厚的皮肤能变得像婴儿屁股一样柔软光滑！我们常说某某有水蜜桃一样的肌肤，其实也完全可以称赞她的皮肤像大象一样。这可绝对是恭维而非贬低。另外，人们把大象定义为笨手笨脚的家伙也不公平。只要它愿意，即便是在瓷器店里，它的行为也能做到无可指摘。❶其实因为大象脚掌很大，和芭蕾舞演员相比，它的脚掌平均面积上承受的体重还不及其一半。大象要将4吨的体重分布到大约1700平方厘米的脚掌上。也就是说，它完全可以走得悄无声息，谁都觉察不到。

当然，假如它无心表现优雅和友好，也可以轻而易举将一个甚至更多的瓷器店弄得一片狼藉。

❶ 德国谚语，大象进了瓷器店，形容行为鲁莽笨拙。

87

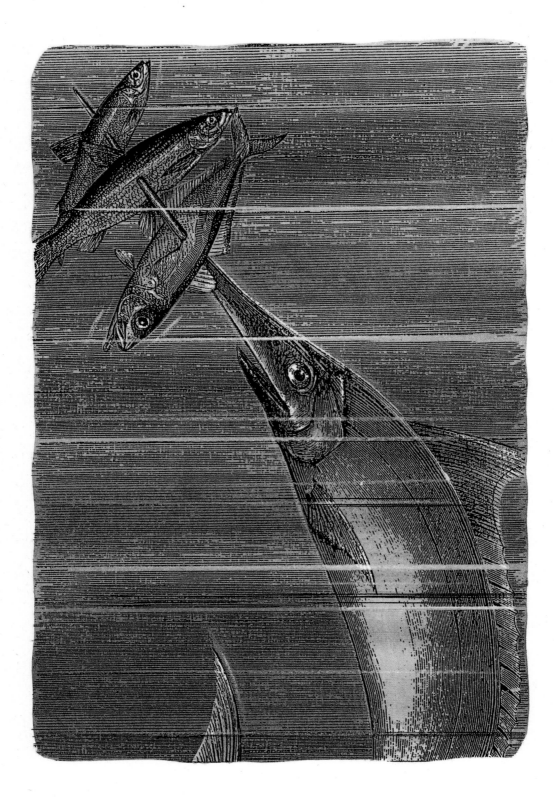

剑鱼爱好和平吗？

剑鱼绝不是和平主义者，它是一种生活在远洋的鱼类。而且它的家在大西洋而不是太平洋。正因如此，这种鱼的个性一点也不"太平"。

它们不光不爱好和平，而且非常具有侵略性。不然它一天到晚带把剑在身上干什么？谁要是敢惹剑鱼，那可有它好看的！

剑鱼是海里的游泳健将——它的身躯长得如同穿浪艇一般，胸鳍向下延伸，镰刀形的背鳍高高竖起。它能以每小时80公里的速度在水中嗖嗖嗖地穿行，像超级短跑运动员一样追踪猎物，甚至能潜入水下600米深处。它的游速让其他鱼类全都望尘莫及！

剑鱼喜欢一网打尽。比方说它会全速撞入鲭鱼群，并在里面横冲直撞，吃掉所有嘴边的猎物。目前学者还不能肯定，它在吃之前是否真会用剑将猎物击倒，因为远洋海鱼极难观测，人们还是只能猜想这把带在上颌的长剑究竟有何妙用。

不过可以肯定的是，这把佩剑绝不仅仅是装饰品。它的确可以用于切割，而且肯定还可以用在其他方面。长剑极有可能在雄剑鱼们寻找交配地点时大显身手，谁也不知道它们之间是否要展开一场真正的殊死搏斗。不管怎么说，有人曾在鲨鱼的肚子上看到这样的剑。在伦敦大英博物馆里也陈列着一艘被剑鱼击沉的船。那"鱼剑"刺入船壁有56厘米之深！有学者认为，因为剑鱼的速度实在是太快，以至于它遇到紧急情况时根本来不及看清并"刹车"，只能一头撞上船或鲨鱼之类。但一条游速极快的鱼不是也应该更有能力快速闪躲避开吗？

虽然剑鱼不是剑客，但颇有剑客的飒爽英姿。它常常单枪匹马冲入鱼群，举起长剑左冲右突，轻轻松松就把其他鱼打伤打昏一片，然后不紧不慢地开始享受美味大餐。因为它嘴里没牙，无法咀嚼被剑砍碎的食物，只能将其囫囵吞下。如果真是这样的话，剑鱼的剑实际上是它的午餐刀，至少像我们切面包的刀一样锋利，而且永远用不着磨刀石。

公山羊很好色吗？

不只人类会思春。随着第一束春光洒向大地，白天变得越来越长，动物们的激素分泌也使得它们开始躁动不安起来。而接下来动物们的所作所为在我们看来就有点不成体统了：公猫为了引起母猫的注意整夜叫个不停；鹿成天为了争风吃醋斗得脸红脖子粗；好色的公山羊也是，只要是在附近出现的母山羊，它一只也不放过。

其实当我们嘲笑动物们兽性大发时也应该想想，毕竟它们和我们不一样，一年只有唯一一次发情期——或者在春季，或者像鹿一样在秋季。野生动物们大多属于"单次动情"动物，也就是说，它们一年只有一次繁殖期。相反，其他如牛、羊等家畜则能"多次动情"。

当白昼继续变长，激素引发的躁动占了绝对上风。小狐狸犬激动难耐，以至于隔着花园篱笆就和邻居家小母狗进行最危险的交配，好像"她"即将一去不返。发情的种马一见到母马，就一路嘶鸣着大献殷勤。要是母马也对它动了情，就会做出爱的表示。也就是说，母马将向公马露出自己的生殖器，同时分泌出吸引异性的信息素：费洛蒙。另外，公马还需要舔尝母马的尿液，来确认对方是否进入排卵期。

这些动物们肆无忌惮地在我们眼皮底下卿卿我我，旁若无人地上演交欢场景，无疑给人类留下了极深刻的印象。这也解释了为什么西方文化中的恶魔常常长着山羊角作为色欲的象征。现在女人们常常对男性求爱的表现视若无睹，而在动物界这招依旧百试不爽。当雄孔雀开屏时，雌孔雀被那身华丽的羽毛迷得颠三倒四；当公马在母马耳边用高音调情时，母马往往也不用多久便乖乖就范。动物界里比较流行"大男子主义"，假如哪个雄性从雌性动物面前落荒而逃，这就明确表示对"她"压根儿就看不上眼。该雌性动物会觉得备受打击，颜面扫地。所以，有时动物园的母象会为了完成一段"爱之旅"到其他动物园旅行。因为如果本园的公象对她毫无爱意，除了出走别无他法。

虽然不只是人类会思春，但只有人类才会用爱情诗歌来表达七情六欲，而不是只会一个劲儿在那儿嗷嗷叫春。

为什么斑马有斑马纹？

草原里根本就没有人行道，那为什么斑马要带着斑马纹到处跑呢？学者们对这个问题给出了两个可能的答案。第一种听起来比较有说服力：斑马能凭借条纹达到"隐身"效果。

而这个小伎俩只在炎热的非洲有效。白天，地表越来越热，空气开始浮动，热气由下往上蒸腾。在这种情形下斑马似乎渐渐就不容易被看到了。它正是借助了身上的花纹隐身——一种上乘的视觉伪装术。这可以用来蒙蔽鬣狗和狮子的眼睛。只要斑马还处于食肉动物的嗅觉范围之外，这样的方法总是行之有效的。人们把这种斑纹叫作"保护色"。这同样也适用于一种隐藏在竹林间的老虎，虎皮上的花纹能使它融入黄绿色的竹林背景中，正如斑马在草原上仿佛消失不见一样。

可太奇怪了！即便在根本不炎热的条件下，司机们也似乎经常看不到斑马线。

另一种理论则认为，斑马的花纹是为了对付那些采采蝇❤。的确如此，和其他动物相比，斑马明显较少受到采采蝇的烦扰，因为采采蝇的复眼很难看清这类条纹状图案。这些危险的小昆虫对斑马一点也提不起兴趣，因为斑马在它们眼里不是一只动物，只是一块色调不均的地面。

斑马的同侪——马在非洲可就没这么走运了：在东非的某些地区根本不可能养马，因为采采蝇会在马之间传播一种寄生虫病。这种寄生虫的近亲能在人体中引发一种致死性疾病——昏睡病。而斑马在当地却能安然无恙，这正印证了第二种理论。

虽然斑马和马看起来很相像，但它毕竟不是马，只是同属马科。它们在大约3500万年前是一家，有着共同的祖先，所以最多只能算是老朋友。斑马途经小亚细亚渐渐向非洲迁徙。它们掌握了最新的流行资讯，为自己设计了一套极显身材的时尚竖条纹装。横条纹绝不在考虑之列，因为既会显得肥胖，又破坏了所谓的蒸腾效应。在非洲，越往东的斑马条纹越密，越靠南其条纹则越稀。

世上每一匹斑马的条纹都绝不雷同。上面的黑白图案就像指纹一样千差万别，且仅此一家。当然了，克隆的斑马则另当别论。

❤ 采采蝇，即舌蝇，广泛分布于撒哈拉以南非洲，以吸食脊椎动物的血为生。——编者注

蜉蝣如何度过一天？

这是属于蜉蝣（德语中名为一日蝇）的美妙一天，它们在这一天里为爱而生，又为爱而死。说得更精确点：全是为了繁殖。

事实上，蜉蝣从头到脚都是为爱而设计。它的口器已经退化，胃肠道也不过是气泡而已，这样让身躯更轻巧，更适宜飞行。即使它饥肠辘辘，也无法吃下哪怕是流质的食物。蜉蝣简直可以称为会飞的精巢或卵巢。吃喝对它们来说完全是浪费时间。它们只有一天的生命，在这天里必须找到配偶，必须交配产卵，并在完成这一生的使命后平静地死去。

难道它就这样悲惨地度过一生吗？其实，蜉蝣还有它作为幼虫的前半生。它的幼虫时期会持续几个月，这和欧洲中部一种鳃角金龟子的经历非常相似。在这种金龟子短暂的飞行生涯之前，它们的幼虫必须在黑暗的地底度过7年的漫长岁月。大自然倒并没有对它们残酷到底。

蜉蝣妈妈会在水洼、池塘或流动缓慢的小溪中产卵，幼虫将在这里孵出。因为这种小小的白色蠕虫含有丰富的蛋白质，所以它们成了鸟儿们的美食。如果运气足够好，它们将在经过几次蜕皮之后变为成虫，终于可以飞行了！——哪怕只有一天的时间。

蜉蝣在幼虫时期以藻类为食，并把食物转换为糖原，以作为成虫一天活动的营养储备。当油箱变空，燃料耗尽时，它们也将自然地死去。说得更残酷些：它们是被活活饿死的。如果哪只蜉蝣对于交配出奇地活跃，它的燃料也许只够维持大半天的飞行。

蜉蝣总是能完成任务——传宗接代。好在它们不会为自己短暂的一生长吁短叹。只有人类才对死亡多愁善感，也没有其他动物会为逝去的同类树碑立传。

不过谁又知道呢？也许对蜉蝣而言，一天的时间已经足够漫长。当这种仅有几毫米长的小昆虫在如此广阔的天地间找到另一只同类，并与其交配之后，它也该精疲力竭了吧？

无论如何，它们的生存方式非常有效，因为不同种类的蜉蝣已经遍布世界各地。它们的生活都在印证一句格言：真爱无价。

如何驯服一头龙？

影片的情节扣人心弦：狂怒的雷克斯霸王龙紧跟着吉普车飞奔，接着把车身当成可口的食物撕成碎片。我们不禁会问，人们是怎样教会恐龙表演特技的呢？其实根本不用！这些只是好莱坞用电脑制作出来的虚拟场景而已。

实际上电影中巨大的"霸王龙"很难进入角色。因为它们的身躯发育得大而无当，但脑袋却小得可怜。这和它近亲的后裔——鳄鱼非常相似：更喜欢用嘴而不爱用脑子。

再说真正的恐龙也不会有兴趣和汽车赛跑。两亿年前既没有人类也没有汽车，这些对恐龙而言都是陌生的东西。那时地球上居住着各种体型巨大的古生物：多数为四条腿的食草恐龙，像雷克斯霸王龙一样两条腿的食肉恐龙，还有会飞的翼龙和居住在水中以捕鱼为生的鱼龙。●

这些爬行动物突然遭遇灭顶之灾。过去有种说法认为，恐龙因为身躯太大无法登上挪亚方舟而灭绝。如今人们相信，宇宙中的一次大爆炸带来了这场灾难。一块直径达15千米的小行星碎片撞击地球，引发的爆炸释放出相当于1000亿吨炸药的巨大能量。随之而来的气候变化给恐龙时代画上了句号：气温高达30℃以上，海水也开始变暖。弥漫天际的尘埃让植物长时间无法进行光合作用，也就无法制造出氧气。这种地狱般的景象让许多物种从此消失——并永远无法再现。电影《侏罗纪公园》的遗传工程师们从恐龙化石中找出基因，使其复活于世的场景也只是科幻。生物学上有句话叫作"永久灭绝"——物种一旦灭绝便无法挽回。即便我们有一天真能克隆恐龙，地球上也没有足够的空间给这种巨大的史前生物居住。就连广袤的西伯利亚也没有了老虎的立足之地。中亚地区的熊、狼和山猫的生存空间也在告急。它们还能上哪儿去呢？

上世纪初还流传着关于恐龙的传言，有人声称在委内瑞拉中部看到过它们的踪影。现在已经证明这绝无可能。

我们只能接受这个事实，恐龙只存在于好莱坞电影中。只有斯蒂芬·斯皮尔伯格能训练它们，因此他成了很富有的人。

● 在科学分类上，恐龙专指陆栖的主龙类爬行动物，翼龙、鱼龙等爬行动物与恐龙生存在同一时期，常被许多大众媒体归类于恐龙，但它们并不是恐龙。——编者注

野外有泰迪熊吗？

小熊真可爱啊！——如果它们不长大的话。成年熊和小熊的区别简直就跟食人鱼和金鱼的区别一样。换句话说，成年熊对人类来讲有致命威胁。甚至不仅仅是人类，就连小熊在自己爸爸面前也不安全。因此小熊学起爬树来既快又好，只有待在高高的树梢上它才能觉得安全些。又笨又胖的大熊是无论如何也爬不上小树枝的。

家庭暴力对熊的一家来讲是很严重的问题。没有什么野生动物比熊更危险、更具攻击性。而且熊非常狡诈，善于控制自己的表情。狗要是发怒了，它们会竖起耳朵，龇牙咧嘴，对着对手狂吼。而熊却不动声色，不叫也不吼，毫无预警地冲上去把对手撕成碎片。

那小熊可爱的形象到底是从哪里来的呢？只要我们看看洛伦茨的动物幼崽图示就可以找到答案。小熊在这里如此可爱：圆圆的脑袋，小小的耳朵，扣子一样亮晶晶的眼睛，蓬松的皮毛还有笨笨的表情——如此憨态可掬的形象一下子就能打动人心。除此之外，熊还和我们一样喜欢甜品。它们为了一滴蜂蜜可以不惜一切代价，这也让人觉得滑稽可爱。

玩具制造商们在制造泰迪熊的时候都会有意忽略它们的尖牙利爪。而现实版的泰迪熊可就难以亲近了，更不可能成为枕边的宠物。

谁要是在野外遇到一只成年熊可大大不妙，掉头就跑往往也无济于事。发怒的熊甚至可以在平地追上骑手。一般来说，人并不合熊的胃口，但自然界的熊一点也不挑食。这意味着它们要是饿极了，两条腿的也不会放过。熊通常以鱼和腐肉为食，从5千米外就能闻出食物的味道来。它们的餐后甜品往往是林间酸野果。熊可是真正的甜品美食家呢。

泰迪熊的名字来源于著名的美国前总统西奥多·罗斯福（1858—1919），昵称泰迪，他最喜欢的玩具也是可爱的泰迪熊。可谁知道其实泰迪熊的制作对动物来说毫不人道，因为要完成一只漂亮的小熊，最后还得在它的耳朵上钉上一颗扣子。

储蓄猪很吝啬吗？

所有有储蓄猪的人都知道，这种小猪一样的储蓄罐贪得无厌，要想把它装满可得有头屙金子的驴才行。但天底下拥有如此好运的人寥寥无几，我们大多数人仍然会担心入不敷出，害怕被迫陷入高利贷的深渊。

在人们嘴里，动物们总是和钱有着特殊联系。我们都认识动物世界中最著名的百万富翁：唐老鸭的叔叔——一只爱财如命的老鸭子。它像我们收藏明信片和贴画一样收藏金币。它虽然家财万贯却买不到什么东西，因为它的同类们对金币根本不感兴趣。动物们绝对排斥现金交易，因为它们到现在为止还处在"物物交换"的阶段。

动物们之间简直什么都能交换：提供整理毛发和清洁牙齿的服务可以顺便换来一顿饱餐；消灭害虫的工作赚回一张远洋航行船票；用一顿丰盛的晚餐换取伴侣的青睐。

动物学家们描述了这样的情景：小藻虾吃掉大鱼身上的寄生虫和脏东西。鱼变干净了，虾则吃饱了，这完全就是双赢的交易。每只小藻虾都有自己的固定客户，它们会排着队来等候清洁服务。

懒惰的鲫鱼不愿花力气游泳，它们的背鳍已经变成吸盘，以让它们贴在鲨鱼、乌龟身上或者船底。作为回报，鲫鱼会在旅行期间为"活船只"清洗外表寄生虫，以此换来环游世界的船票。

雄蜘蛛以一只肥大的苍蝇作为聘礼向雌蜘蛛求婚。但婚后它自己也可能成为新娘——高度危险的"枕边怪兽"的猎物。可怜的求爱者为提供产卵必需的蛋白质而自愿献身——这是一种非常奇特而又实用的回报。

和蜘蛛相反，狒狒家雄性才是一家之主。要是雌狒狒和邻居家的雄狒狒调情时被"老公"发现，为了避免受到利齿的惩罚，雌狒狒得主动向暴怒的老公示爱。这种家法规定的交配并不仅仅具有象征意义，因为雌狒狒的这种行为的确能平息雄性的怒火，人们把这称为"性和解"。雌性的大猩猩和老虎都有类似行为。

真正称得上罗曼蒂克的还是澳大利亚和新几内亚岛的园丁鸟。它们用花朵、叶片、彩石、浆果和蜗牛壳来装饰花园般的爱巢。雄鸟还会用漂亮"首饰"来赢得高傲的雌鸟们的芳心。

驼鹿接吻吗？

驼鹿也能接吻！不管怎么说它们配备了独一无二的嘴唇。鹿吻，即驼鹿的嘴唇，长得很厚，而且上嘴唇相当灵活。驼鹿们能用它们取食树上的嫩枝和地上的草叶，当然也能用它来和异性驼鹿接吻。也许人们嫉妒那些被驼鹿吻了的家伙，或者他们只是拒绝承认动物之间也会有如此亲密的接触？ ❂可谁要是这样想的话，那就大错特错了。

不过，驼鹿肯定不会舌吻。它们用自己的方式来相亲相爱。当它们彼此爱慕的时候，会紧紧依偎，嗅嗅对方或舔咬对方，还有意无意地触碰对方的敏感带。人们曾观察到野马用牙齿轻轻地梳理伴侣脖子和后背上的鬃毛，好像在捉虱子。这些区域已经被证实是连接心脏的副交感神经束所在的部位。抚摸马匹的这些部位能让它们脉搏减慢三成，马儿明显变得平静并易于交流。

动物的身体接触还能显示出它们在种群中的地位。比如有些狒狒每天都像疯了一样地挠虱子，即使它们浑身一只虱子都找不出来。这往往是种讨好的表现：雌狒狒向狒狒王，或者低等级的雌狒狒向更高等级的同性献媚。在狒狒群中的地位越高，它就越能获得关注。如果人们仔细观察狒狒间的交往，就能判断出它们各自在种群中的地位。

献殷勤多少也有些禁忌：对于狒狒和其他很多群居哺乳动物而言，只有一群之主才有权和处于排卵期的雌性亲热。年轻的雄性只能以练习为目的和雌性嬉戏。

让我们再回过头来谈谈敏感区：狗的敏感区在耳朵后面，这里是柔软耳道和坚硬头骨的连接处，狗自己的爪子挠不到。所以当主人用指头轻挠此处时，它会非常开心。如果用小树枝在牛角后面的部分挠痒，牛也会高兴得眼珠骨碌碌地转。

公驼鹿巨大的鹿角一点也不会影响它们亲热。鹿和驼鹿都能娴熟地控制自己的角，它们能用角来轻柔地触碰身体每个部位，绝不会不小心伤着母鹿。

最后还有一点：拥有越大的鹿角，就越容易获得母驼鹿的青睐。

❂ 德语中"被驼鹿亲吻"指让人难以置信的惊喜。

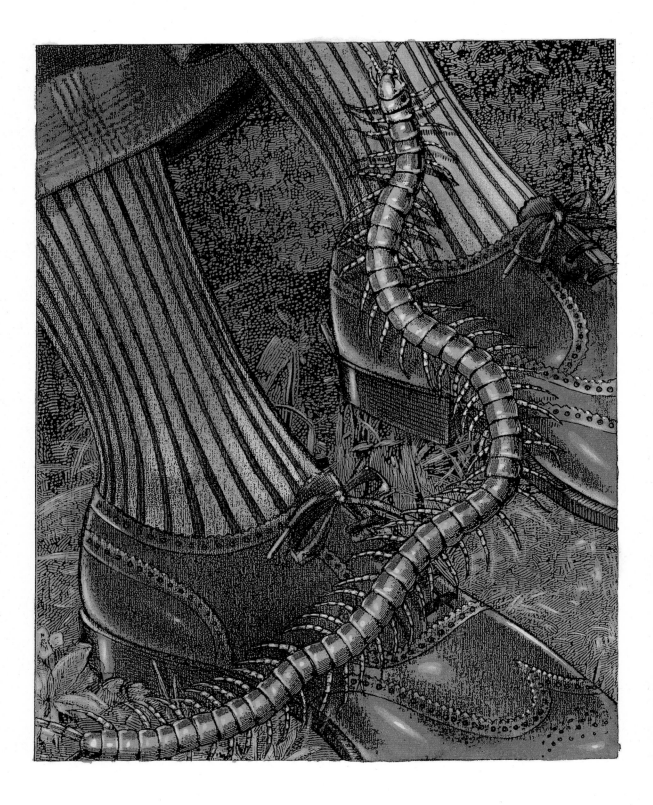

千足虫真的有一千只脚吗？

这种虫子的名字其实还不算太夸张。如果硬要给它精确命名的话，那得叫它"四百九十八足虫"，因为它最多能长出249对足来，好在这家伙总打赤脚不用买鞋。不过要是给它穿上踢踏舞鞋，那跳出来的效果可是无人能及。

用两条腿走路的我们对千足虫非常好奇，当看到它们从面前不紧不慢地爬过时，总会问：它们怎样才能不绊住自己的脚呢？它们要这么多脚干吗？自然演化又一次显示了它的神奇。因为在千足虫生活的环境里，脚越多它们就越容易前进。

落叶在花园、林间的地上形成了腐殖层，千足虫便在这里繁衍生息。它并非迈开大步向前冲，而是波浪式地穿行于半腐烂的枯枝落叶之间，这么多只脚正是为此而生。它覆盖着几丁质外壳的节依次上扬，并把节上的脚抬离地面，其余的脚则还留在地上。至于它是左撇子还是右撇子，在波浪式运动中完全无关紧要。

有这么多条腿，它也很难成为瘸子，少上三五条根本算不了什么。有时被可恶的甲虫咬掉一条，有时让饥饿的鸟儿啄去一条，它还能迈开剩下的497条腿逃之夭夭。当千足虫逃回安全的地方后，它也不用去照X光片，只要静静休养，失去的腿又会重新长出来。哪怕这期间有一点跛脚，它也压根儿不放在心上。

千足虫不是毛毛虫，它不会变成蝴蝶飞走。它一出世就有很多条腿，但没有手，却有和蜘蛛类似的非常灵活的螯状口器，用来捕捉昆虫和蚯蚓。有好几种千足虫的螯中还有毒腺，它用分泌物先将猎物预消化，然后再慢慢地整个吞下去。最强的毒液只要一滴就能让人痛苦不堪。

在德国只有一种会"咬人"的千足虫。不过不必担心，对我们来说它还没有带刺的黄蜂危险。还有种千足虫只有8条腿，为显得更加"名副其实"，人们把它称为"百足虫"。

索 引

动物当然会疼。

—— 彼得·辛格《动物解放》

湖 岸
Hu'an *publication*

出 品 人＿唐　奂

策划编辑＿张　芳

产品策划＿景　雁

责任编辑＿卜凡雅

特约编辑＿王　迎　张　瑾

营销编辑＿张怡琳

封面设计＿裴雷思

美术编辑＿崔　玥　韩雨颀

🐦 @huan404

❻ 湖岸 Huan

www.huan404.com

联系电话＿010-87923806

投稿邮箱＿info@huan404.com

感谢您选择一本湖岸的书

欢迎关注"湖岸"微信公众号